AYUNO CUÁNTICO
ALIMENTO CELESTIAL

L. Emerson Ferrell

Ministerio Voz de La Luz

Reflexiones del creador de la carátula del libro.

Durante mucho tiempo he visto una estatua femenina que se presenta como luces omnipresentes en los caminos de mi ciudad. Es la llamada "gran libertad", cuya luz iluminaba a los habitantes de la ciudad. A pesar de que el lugar donde estoy parece sin límites, tengo la sensación de limitaciones y fronteras, pero sé que debe haber algo más, algo más allá de eso.

Un día me vi de pie sobre un pedestal de piedra labrada que decía: *"Introite, nam et HEIC Dii sunt"* (Ven, porque hay muchos dioses aquí también). En ese momento no entendí la inscripción ni tampoco por qué estaba en el pedestal, pero esa escena se convirtió en la base de mi pensamiento, ya que mi inflexible, rígida y compleja forma de pensar se parecen al pedestal. En otras palabras, entendí que me hacía fuerte en mi propia fuerza.

Pero desde que Jesús me tocó, he tratado sinceramente de confiar por completo en ÉL y con todo mi corazón. Aunque sé que Él vive en mí, la mayoría de las veces, siento como si Él estuviera muy lejos. A veces, veo Su gloria como una estrella fugaz que entra en mi conciencia terrenal, pero que desaparece en cuestión de segundos. Creo y veo las cosas, basado en el conocimiento, pero sé que esto no es suficiente. De vuelta en la visión, vi cómo mis desesperados gritos rebotaban en una pared de cristal, a espaldas de mí. Era una pared de cristal clara, casi invisible y yo anhelaba huir de ella. ¡Mi corazón anhela una vida sin límites!

En un momento de esta visión, oí una profunda voz en mi corazón: "Come". Completamente desconcertado, me pregunté ¿qué como? La voz respondió en voz alta, "Come de mí". De repente, todo vibraba y temblaba, seguido de una cálida, intensa y brillante luz, que flotaba en mi mano. Es maná, fresco y vivo, dijo la voz. Entonces comí. Luego, oí un leve crujido, algo empezó a romperse, mientras la energía de la atmósfera comenzaba a desprenderse. Los cristales se movían como frotando uno con otro. En un punto, veo una fuerte explosión y un estallido de los cristales de la pared que caen en pedazos delante de mis ojos. Al instante, una brisa fresca corrió dentro de mi cuerpo y de mi mente, ampliando mis horizontes. Libre y fuera del tiempo, me encontré en un mundo, que a la misma vez, era familiar, pero también desconocido para mí. No me alcanza el tiempo para describir con palabras todo lo que estaba viviendo, pero puedo decir que estaba en el lugar donde mi Dios habita... estaba en casa.

Hubiéramos sanado a Babilonia, pero no puede ser sanada... (Jeremías 51,9 traducción del alemán).

Joel Argast

AYUNO CUÁNTICO
ALIMENTO CELESTIAL

L. Emerson Ferrell

Ministerio Voz de La Luz

Publicado por

Voice Of The Light Ministries

P.O. Box 3418

Ponte Vedra, Florida, 32004

Estados Unidos de América

www.vozdelaluz.com

www.voiceofthelight.com

ISBN 978-1-933163-87-1

CONTENIDO

INTRODUCCIÓN

Este libro te expondrá a una realidad más allá del mundo físico. La vida que Dios diseñó para ti, está escondida dentro de tu espíritu, junto con la ruta para alcanzar la justicia, la paz y el gozo.

La Biblia dice que: *"El reino de Dios no es comida ni bebida, sino justicia y paz y gozo por el Espíritu Santo". (Romanos 14:17).* De hecho, mi vida cambió para siempre el día que el Espíritu Santo me reveló las profundidades de este versículo.

Es mi deseo que toda persona experimente el éxtasis, más allá del mundo natural, que está disponible para aquellos que ayunan. El enemigo conoce el poder del ayuno, por esta razón, él ha provocado entre el pueblo de Dios, muchísimo temor por ayunar.

Ayunar no es algo nuevo, a pesar de que no se practica frecuentemente en la iglesia. Quizás esto se debe a ideas preconcebidas y/o creencias religiosas. De cualquier modo, el enemigo ha generado miedo a comprometerse con un estilo de vida de ayuno.

Este libro iluminará y transformará tu entendimiento no sólo sobre el ayuno, sino también para que conquistes tus miedos. Además, descubrirás que lo que te hace ser quien tu eres, es lo que crees, y esto proviene de tus pensamientos. Una vez que comprendas que la comida es una de las cosas que origina los pensamientos entonces, entenderás la importancia del ayuno. Tu espíritu está más hambriento que tu cuerpo y, si lo alimentas adecuadamente, cambiarán tus hábitos alimenticios y también la manera en que piensas.

El poder que viene de observar y cambiar tus deseos, a la luz del Espíritu Santo, lo altera todo, y da como resultado que estés en dominio de tus pensamientos y no que seas esclavo de ellos.

Además, descubrirás el poder escondido dentro de tu espíritu para cambiar tu condición física y tu salud. De hecho, las dietas que consume la mayoría de la gente en la sociedad occidental, satisfacen antojos generados por el ruido y el estrés. En este libro, analizaremos cómo los sonidos provenientes de nuestras almas están acordes a los alimentos que ingerimos, perpetuando así el ciclo de pecado, enfermedad y muerte. Comprenderás cómo la justicia y la paz son alimentos tangibles del Espíritu, servidos a aquellos cuyos deseos son afines a los de Dios.

La ciencia sólo trata de describir los fenómenos que ocurren en las realidades, visible e invisible pero no tiene poder sobre ellos. El ayuno, por el contrario abre las puertas entre estos dos mundos para poder celebrar la naturaleza divina de Dios.

De acuerdo a diversos diccionarios, la palabra *"Cuántico"* proviene del Latín, cantidad. Lo que para el entendimiento moderno sería: la unidad más pequeña del mundo subatómico tanto en la física de la energía como el de la materia. Aquellos que buscan abstenerse de comida sólida (materia), serán alimentados de fe (energía) por el Espíritu Santo. Por lo tanto, el espíritu de la persona crecerá más fuerte y destruirá los pensamientos de duda e incredulidad creados por una constante dieta material. En otras palabras, **alimentar tu fe es tan simple como ayunar, junto con adorar y dar gracias.**

Ahora bien, el poder para conquistar el mundo material se basa en confiar en que el Espíritu suplirá todas tus necesidades, fuera de tus razonamientos y creencias. Y el ayuno es el ejercicio para lograr esto. Cuando el enemigo ve que has tomado tu decisión, queda desarmado para poder intimidarte. Una vez que comienzas a ayunar, tus miedos se transformarán en poder. Estas y otras experiencias han estado esperando por ti desde antes de la fundación del mundo, y constituyen nuestro tesoro y la herencia para transformar a las próximas generaciones.

El ayuno despertará el espíritu conquistador dentro de ti, así también incrementará tu estamina y bienestar, lo cual es necesario para dar a nuestro Rey el tipo de adoración para el que fuimos creados.

Jesús dijo: *"pero confiad, yo he vencido al mundo" (Juan 16:33 RIV)*. Si algo en tu vida te hace sentir intimidado, es porque nunca has entendido adecuadamente los beneficios del ayuno. El poder y la autoridad sobre cada temor en tu vida, comienzan conquistando el miedo a no comer. **Por lo que, si tu deseo**

es alcanzar estas virtudes en el reino, comienza leyendo este libro y no te detengas hasta que te hayas devorado cada página.

Recuerda, Jesús no operó en el poder y autoridad del Reino, hasta que regresó de su ayuno en el desierto. ¿Quieres seguir sus pasos? Entonces, deja de lado todas las excusas y nunca más mires atrás. **Tu futuro es tan brillante como la confianza que tengas en Su poder para transformarte.** Jesús destruyó las obras del enemigo, después de Su bautizo y retorno desde el desierto. Fue durante esos cuarenta días, sin comida, que algo se activó dentro de Su ser. Creo que el abstenerse de alimento fue un elemento importante para vivificar la sangre divina del Padre en Él.

Mi camino en el ayuno, se inició después de estudiar Su experiencia en el desiérto Sus confrontaciones con el enemigo. La mayoría de los estudiosos de la Biblia, concuerdan con que el arma usada por Jesús contra el diablo, fue declarar la Palabra. Sin embargo, poco se habla acerca de que Jesús no estaba comiendo y, sin duda, ese fue un ingrediente esencial para Su victoria.

La historia de mis experiencias y descubrimientos es una obra en progreso, que busca demostrar el poder del Espíritu Santo, sobre los obstáculos del miedo, puestos por el enemigo. Jesús, destruyó las obras del diablo, y cada vez que esta revelación crece en mí, entro en un nuevo nivel de autoridad. Este es un camino que aumenta mi hambre espiritual sobre mis apetitos físicos. El ayuno ha sido mi vehículo en este caminar milagroso y mi deseo es que tú te animes a hacer lo mismo a través de este libro.

SECCIÓN I

PRIMEROS ENCUENTROS ANGELICALES

PRIMEROS ENCUENTROS ANGELICALES

En diversas ocasiones a lo largo de mi vida, Dios ha intervenido para despertarme a Su asombrosa gracia. Creo que, casi todos han tenido o tendrán un encuentro directo con el cielo durante su vida; sin embargo el procurar estas visitaciones es la prerrogativa de cada uno.

Lo que leerás a continuación ha sido escrito para confirmar y animar a aquellos que han tenido experiencias similares a las mías. Estas historias son una colección de sueños y visiones que recuerdo desde mi infancia.

A pesar de que estas experiencias impactaron enormemente mi vida, la decisión de buscar o perseguir estos encuentros fue muy difícil. He descubierto que, cada vez que los cielos intervienen en la tierra, también lo hace el infierno. De hecho, las potestades y principados de las tinieblas se dan perfectamente cuenta cuando la Luz de Cristo hace visible la realidad de Dios y Su Reino e interfieren para robárnoslas.

Esto se hace claro, por ejemplo cuando los ángeles

comisionados por Dios se manifiestan; en ese momento las potestades de las tinieblas extienden una cortina de duda e incredulidad para velar la realidad de estas experiencias. Una y otra vez Dios ha tocado a la humanidad con su majestuoso amor, y todo para que sea descartado y olvidado. Quizás, ahora mismo estés recordando alguna experiencia que hayas tenido, que pareció ser una situación fuera de lo ordinario y extrañamente aterradora. Te animo a que busques a solas al Espíritu Santo y le permitas que te recuerde estas experiencias.

Ahora bien, las visitaciones angelicales no hacen a una persona especial o única, son simplemente un recordatorio del eterno amor de Dios por el hombre, que Dios nos envía tomando el riesgo de que sean rechazadas.

1

ENCUENTROS DIVINOS

A muy temprana edad, fui expuesto a través de sueños y visiones a un mundo de realidades más allá de las experiencias tradicionales que la mayoría de la gente recibe en las iglesias, escuelas o instituciones.

Fue durante esos años, cuando comencé a familiarizarme con mi naturaleza espiritual y descubrí que mi espíritu estaba equipado para entender un lenguaje no verbal como si fuera una manera normal de comunicación. De hecho, fue este tipo de interacciones las que crearon en mí, gran hambre por ese mundo, lo que posteriormente me llevó a conocer a Cristo.

Mis primeros encuentros comenzaron en la escuela, un día que un amigo me contó que un ángel había salvado su vida. Era una mañana cálida y húmeda, con tupidas nubes en el cielo. El patio de la escuela primaria era ruidoso y lleno de la emoción que produce un principio de año. Hallar una cara familiar en medio de tanto niño era como encontrar agua en el desierto.

A la distancia, identifiqué la voz de mi amigo David, a quien conocía del año anterior. Él era uno de los pocos compañeros que siempre estaba feliz. De hecho, tenía buenas calificaciones y a todos los otros estudiantes les caía bien, como también a los profesores.

David, estaba siempre sonriendo, y dejaba sus propios asuntos para ayudar a otros a ajustarse a las circunstancias difíciles. Un día, mi mamá olvidó mandarme comida para la escuela y no tenía nada de dinero, David escuchó lo que me pasaba y me dio la mitad de su sándwich. Con una tremenda sonrisa en la cara me dijo: *"Espero que te guste la mantequilla de maní y la mermelada"*.

Nos hicimos muy buenos amigos y compartíamos mucho más que un sándwich durante la jornada escolar. En una ocasión, me contó de un accidente automovilístico que sufrieron él y su mamá, en el que fueron salvados milagrosamente de la muerte por alguien que después descubrieron, fue un ángel. Él lo describió como un hombre alto, de ojos penetrantes que, literalmente, los sacó del vehículo en llamas mientras su corazón era invadido por una sobreabundante sensación de paz y seguridad. Yo lo escuchaba con mucho interés y le hacía preguntas acerca del ángel, quería saber todos los detalles.

Muy a menudo, durante el recreo, nos sentábamos en los columpios mirando fijamente al cielo. Nuestro pasatiempo favorito era soñar despiertos, porque sin decir una palabra, podíamos viajar más allá del tiempo y del espacio a un mundo lleno de inocentes sueños e imaginaciones. Después compartíamos nuestras aventuras, lo que era el combustible para excursiones futuras. Un día, estábamos hablando de nuestros sueños y experiencias, cuando ambos notamos una figura que estaba parada junto a un inmenso árbol de Roble. Lentamente, nos acercarnos a él sorprendidos de ser los únicos que percibíamos su presencia. En un momento dado sentí como si mis pies no estuvieran tocando el suelo; era difícil determinar si tan sólo estaba soñando despierto. De repente, una voz me llamó por mi nombre y me dijo que mi Padre Celestial me había elegido para hacer algo especial.

Al sonido de esa voz, sentí una cálida sensación de paz y tranquilidad; sin embargo, mientras más nos acercábamos a esa figura magnética, más difícil era moverse. Finalmente nos encontramos cara a cara frente a él deslumbrados por sus vestimentas que reflejaban diferentes colores de luz. Era muy brillante, y los destellos que emanaban de ella, estaban como vivos, por decirlo de alguna manera.

La característica más memorable de esta persona era, sin duda, sus ojos, cuyo color era indescriptible e intenso, casi como un láser. Su rostro irradiaba poder y dulzura simultáneamente. Mientras estábamos parados en frente de él, mi mente estaba libre de cualquier pensamiento. En otras palabras, era como si hubiese entrado a un mundo diferente, **a un lugar donde mis preguntas eran contestadas antes de que pudiera siquiera hacerlas.**

Por otra parte, me fue imposible descifrar su edad o nacionalidad, ya que no se comunicaba con su boca, sino que, simplemente, me miraba fijamente a los ojos. Esa sensación, me recordó cuando uno está en una montaña rusa, puesto que me sentía mareado y con náuseas. De repente, me tocó la frente e, instantáneamente, me sentí mejor y una serie de imágenes se desbordaban en mi mente, lo que sólo puedo describir como una película que estaba pasando por mi cabeza.

Me di cuenta que yo estaba en la película e intuitivamente entendí que se trataba de mi vida presente y futura. La experiencia fue indescriptible, porque mi *"yo"* era diferente al que estaba observando en la película. Era como si mi cuerpo y mi espíritu se hubiesen separado uno del otro.

Estaba mirando mi vida desde la cuna hasta la tumba y, mientras me observaba, sabía cuáles eran las decisiones que había tomado antes de que las hiciera. Sabía, además, que las decisiones correctas agradaban a mi Padre Celestial, mientras que las incorrectas lo herían profundamente.

Un gran deseo por agradarlo, desató una pasión dentro de mí que me hizo llorar. Sabía que Dios quería que mi vida fuera suya, pero la pregunta dentro de mi cabeza, era si era yo capaz de hacer las elecciones correctas para mi vida. Entonces, en un abrir y cerrar de ojos, la película terminó, y lo que parecía una gota de agua que contenía toda mi vida, rodó por mi mejilla como una lágrima, mientras un magnífico vaso de cristal en forma de un corazón humano la capturó.

"Mis huidas tú has contado; Pon mis lágrimas en tu redoma; ¿No están ellas en tu libro?" *Salmos 56:8*

De repente, mientras comenzaba a llover, escuché mi nombre. Lo último que quería, era salirme de esa euforia sin tiempo, pero al instante en que mi foco y mi mirada cambiaron de dirección, experimenté una sensación como de "desaceleración", era como si mi ropa y zapatos se hubiesen hecho muy pesados.

La transición parecía como estar parado sobre arenas movedizas, y todo lo que podía comprender era una incómoda sensación que me limitaba. Hasta mi habilidad para razonar y entender se habían esfumado.

Mi mente corría a mil por hora y mi corazón palpitaba fuertemente después del encuentro. No hay manera en que pueda describir lo que pasó, pero sabía que algo especial había marcado mi vida para siempre. Recuerdo que estaba mirando a David de reojo, mientras él me esperaba en la puerta del aula de clases con una tremenda sonrisa. La calidez de su rostro no me dejó dudas de que habíamos experimentado emociones y sentimientos que no se pueden expresar con palabras.

Esa fue mi primea experiencia con un ángel, pero no fue la única.

"No olvidéis la hospitalidad, porque por ésta algunos, sin saberlo, hospedaron ángeles." *Hebreos 13:2*

Fue durante esa visitación que sentí una sensación extraña dentro de mi cuerpo y mi mente. Mis actitudes y apetitos sutilmente comenzaron a cambiar en mi vida diaria y el mundo invisible capturó mi imaginación.

Mi espíritu estaba agitado, y el miedo fue reemplazado por la expectación de más visitaciones de la realidad invisible. Mi corazón ardía por la esperanza de reunirme con mi Padre Celestial. Aún, a una edad temprana, sabía que mi espíritu estaba marcado y que era éste el que tomaría las decisiones en mi vida y no mi *"yo"* físico. Fue mi espíritu, el que poseía las cualidades y conocimiento que yo quería descubrir.

2

DESAFIADO POR EL CIELO

Algunos años después, ocurrió algo en mí que abrió otra vez una puerta al mundo invisible. Una noche, mientras estaba sentado en mi cama, vi un ser celestial en mi habitación con un tazón en su mano. Al mirarlo intensamente, oí una voz dentro de mi espíritu que me preguntó si quería probar el líquido que estaba dentro del tazón.

Recuerdo que en mi cabeza batallaba con pensamientos entre miedo y curiosidad, cuando de repente, el ángel dijo: *"Si no comes en 40 días, te daré de este líquido"*.

No tenía idea de que alguien podría siquiera vivir un día sin comer, mucho menos 40. Parecía imposible, pero el entusiasmo y el deseo por saber de esto nunca se fueron. Finalmente, tomé la decisión de que haría cualquier cosa para tomar del líquido ofrecido por aquel ángel. Parecía imposible, pero algo dentro de mí, se rehusaba a rendirse.

Una noche, mientras me encontraba camino a un retiro en las Montañas Rocosas de Tennessee, vi a la distancia, una extraña luz de color. Mi curiosidad venció mi resistencia a caminar en medio de la oscuridad, sólo para descubrir la fuente de la misteriosa luz. Después de un par de horas de subir y bajar en la montaña, entré en una cueva de la que emanaba un extraño resplandor proveniente del interior.

Mi primer pensamiento fue que posiblemente se tratara de alguien que estaba ahí adentro, acampando y tocando música. Sin embargo, mientras más entraba en la cueva, más fuerte era el latido de mi corazón y mis emociones cambiar más. La luz se transformó en colores que por alguna razón, asocié con melancolía lo que hizo que me llenara de tristeza. Comencé a llorar incontrolablemente, y oí una voz dentro de mí que decía: *"Sangre inocente está clamando por ser redimida".*

Inmediatamente, me di vuelta y vi a un hombre sentado en una roca, vestido de blanco. Sabía que él era la fuente de la luz y el sonido que había visto, pero no estaba seguro si estaba soñando o si estaba despierto. Sus labios no se movían, pero podía entender claramente sus pensamientos.

Estaba cautivado por la belleza y serenidad de ese ser, que era el mismo hombre que había conocido en mi niñez, cuando estaba en la escuela. Su semblante no había cambiado, pero esta vez produjo que me arrodillara y llorara como un niño. La compasión que sentí en ese momento era sobrecogedora. El tocó mi hombro, y sentí como un fuego dentro de mí y en ese momento, entendí que mi vida sería usada como un altar de sacrificio para reparar la injusticia cometida.

El incontrolable llanto continúo por horas, hasta que vi sangre en la superficie de mi piel. De repente, la luz cambió de color amarillo a diferentes tonalidades violetas y un sonido hermoso reflejó ese cambio de la luz en intensidad y frecuencia.

Mi llanto disminuyó y fue reemplazado por una profunda sensación de gozo y fortaleza. La voz dentro de mí, me dijo: *"La intercesión es una herramienta que el Espíritu usa para contraatacar al enemigo y purificar vasos humanos"*.

Entonces, miré hacia arriba, y vi una nube llena de hombres vestidos de blanco, que adoraban al Señor. Mis lágrimas de tristeza se habían transformado en gozo, al entender que mi intercesión había sido por cada uno de ellos.

Después de eso, me fui de la cueva, y me di cuenta que no había comido ni bebido nada por varias horas. Me encontraba solo y lejos de todo lugar habitado, lo que revolucionó mis pensamientos. Mi mente se aceleraba descontroladamente mientras el miedo producía en mí, una sensación de deshidratación y de hambre.

En ese segundo, escuché una voz, la misma que provenía de la cueva, diciéndome: *"¿por qué estás tan asustado?"*. **Al instante, mi corazón tomó control de mis pensamientos y recibí una paz que satisfizo mi hambre y sed.** El Espíritu Santo estaba preparándome para entender el origen y la formación de los pensamientos y al mismo tiempo revelándome a Jesús como el Príncipe de Paz.

El poder resonante de la voz acalló todas las voces de miedo y pánico creadas por mi mente y entendí que el tiempo para probar el líquido ofrecido años atrás, había llegado.

MI LLAMADO A DESPERTAR

Crecí alrededor de las playas de Florida, en donde aprendí a surfear a muy temprana edad. La verdad es que las olas nunca fueron realmente grandes comparadas con otros lugares del mundo.

Después de graduarme de la universidad, me mudé a California, y después viví en Hawái, en donde disfrute de olas maravillosas. Mi fascinación por la grandeza del mar y lo majestuoso de su oleaje me acercaba a Dios y alimentaban el hambre de mi alma por más de lo sobrenatural.

Recuerdo un día en que estaba surfeando con mis amigos y la corriente era fuerte y nos habíamos separado en el agua durante el transcurso de esa mañana. En un momento, los cielos se oscurecieron y las olas crecieron en gran intensidad. Mientras me daba vuelta para patalear hacia un grupo de olas que se aproximaba, algo golpeó mi tabla de surf.

Todo surfista ha escuchado terroríficas historias de ataques de tiburones y todo el mundo sabe que –hasta el día de hoy- los océanos son peligrosos. Es por ello que, la mayoría de los novatos están más preocupados de las criaturas debajo del agua, que de las mismas olas que revientan en la superficie. De hecho, los que se convierten en los mejores surfistas, son aquellos que están en paz en las aguas, sin importar qué animal esté debajo de ellos.

Pese a que yo era de estos últimos, al sentir el golpe en la tabla, mi mente empezó a imaginar todo tipo de peligro, creando horribles historias de terror, lo que ocasionó que una ola me tomara por sorpresa golpeándome fuertemente.

La primera regla de pataleo para un surfista es hacerlo siempre perpendicular a la ola. Bueno, no lo hice, y esa gigantesca ola me separó de mi tabla, mandándome hacia las profundidades del océano. La mayoría de los surfistas, usan una correa, que es de un plástico muy resistente y se ata con velcro a uno de los tobillos. Esto hace que se ahorre mucho tiempo nadando hacia la orilla en busca de la tabla, cuando una ola te revuelca y te da algo de paz cuando estás muy lejos de la playa.

Esa ola, en particular, rompió mi correa y me lanzó como una roca al fondo del mar. La pregunta inminente que surge cuando estás allá abajo, es ¿cuanto aire te queda en los pulmones y si éste te será suficiente? Desgraciadamente la respuesta sólo la llegas a saber cuando eres probado en esa terrorífica circunstancia.

Traté desesperadamente de encontrar la arena del fondo

para empujarme hacia la superficie, pero el intento fue inútil ya que la presión de la ola era como llevar cientos de kilos atados a mi espalda. El esfuerzo que hice peleando en contra de esa fuerza, agotó el aire de mis pulmones. El miedo a ahogarme se tornó en pánico. Sin oxígeno, no tenía ya resistencia alguna, por lo que pensé que mi hora había ya llegado. Mientras me rendía a lo inevitable, algo me tocó. Era como una plancha caliente que recorrió mi espina dorsal y que salió por mi ombligo.

De repente, una tranquilidad irracional inundó mi cabeza con pensamientos e imágenes de mi primera visita angelical. Mi espíritu fue envuelto con el amor de mi Padre Celestial que me llevó a una dimensión de *"conocimiento"*, más allá de cualquier cosa que haya alguna vez experimentado. Sentía una sobrecogedora sensación de paz en medio de mi situación y el miedo a morir se había ido. **Fue como si el temor a ahogarme fuera lo único que me mantenía apegado a este mundo físico.**

Una vez que perdí el miedo que me ataba, se abrió la puerta para llenarme de ese maravilloso sentimiento que es el amor. El poder del amor se tragó, literalmente, todos mis temores. Y en mi mente, era como estar viendo una cortina que caía. Mis pensamientos se llenaron de gozo, el cual se había ocultado debido al miedo.

Ese amor transformó mi oscuridad en la luz más espectacular que jamás había visto, la cual penetró y energizó cada célula y fibra de mi ser. Instantáneamente, fui llenado de compasión por cada una de las personas que había dañado en pensamiento o en obra.

Los ojos de mi entendimiento fueron abiertos a Jesucristo y a Su asombroso poder de perdón. Fue entonces que CONOCÍ el amor, no en un concepto, sino en una persona.

Inmediatamente, mi corazón se llenó de gratitud por todas las cosas que Jesús hizo por mí y que yo no las había apreciado. Por ejemplo, recordé cuando alguien me detuvo impidiendo que un auto me atropellara y también cuando el sonido del timbre de la puerta me despertó justo a tiempo para apagar un fuego que se había empezado en la cocina. Memorias de Su misericordia, inundaron mi mente, y mi alma estaba profundamente agradecida. Tiempo después, aprendí que esa es la forma más pura de adoración.

Después de eso lo único que recuerdo fue estar sentado en la playa, tosiendo y escupiendo agua. Nunca supe cómo sobreviví o cómo es que mi tabla de surf estaba a mi lado cuando volví en mí. Todo lo que recuerdo hasta el día de hoy, es la asombrosa paz que inundó mi alma. Ese encuentro cambió mi vida. Los detalles de lo que pasó no son tan importantes como el impacto que dejó en mi espíritu y en mi alma, de otra forma, el Espíritu Santo me los hubiese mostrado. Una cosa es segura, y es que mi compromiso hacia Cristo y mi confianza en el destino que él tiene para mí, se ha aumentado al ciento por ciento.

Muchas veces, el Espíritu Santo me ha recordado que el miedo se rinde al amor y que aquellos que conocen a Cristo, serán liberados de las peores

situaciones, a través de encuentros con el gran poder de Dios.

La realidad espiritual se ha convertido en mi refugio y torre fuerte. El Espíritu Santo es mi aliado y mi mejor amigo. Él sabe que mi vida es Suya y que yo hago lo que a Él le place. Debido a esto, ayunar se ha convertido en un gozo, no en un esfuerzo, ya que entiendo que el poder de la vida no está en la dimensión física.

SECCIÓN II

EL MUNDO INVISIBLE

PROPÓSITOS Y BENEFICIOS DEL AYUNO

El ayuno es una de las herramientas más poderosas que el Espíritu Santo usa para manifestar los misterios de Cristo y destruir doctrinas e ideas preconcebidas. De ninguna manera estoy diciendo que éste es el único método que facilita nuestra relación con Cristo, pero, en mi opinión, es la forma más profunda y poderosa para conocerlo cara a cara dentro de la dimensión espiritual.

En la mayoría de los diccionarios, el concepto de "*ayunar*" se define *como abstinencia de alimento por variados periodos de tiempo*. A su vez, la palabra "*alimento*" se define *como nutrientes o comida en forma sólida*. Ayunar, algunas veces se ha convertido en un término exótico que implica sacrificar algo que queremos o deseamos.

Por ejemplo, algunas personas dejan de ver televisión o escuchar música, y llaman a esto, un ayuno. En mi opinión, hay beneficios para quienes disminuyen la cantidad de estímulos materiales que reciben de este mundo. Lo que aumenta diez veces más el beneficio de hacer esto, es complementar ese tiempo, con oración.

La gente que mira un tipo equivocado de películas, con el tiempo, dañará su centro emocional y desensibilizará su espíritu. Creo que el Espíritu Santo premia a aquellos que se separan de los estímulos externos para invertir tiempo con Él.

Ahora bien, la comida es mucho más que un estímulo o una necesidad, ya que a la larga, la calidad de lo que comemos, cambia nuestra sangre, para bien o para mal. Esta a su vez va a afectar nuestros órganos, emociones, pensamientos y nuestras generaciones futuras. Más adelante en este libro, veremos la conexión entre la sangre y el Espíritu Santo.

Es importante aclarar que hay muchas maneras de hacer un ayuno de comida solida, sin embargo, ayunar no debería confundirse con la abstinencia de agua. De hecho, el oxigeno, el agua y el dormir; en ese orden, son mucho más importantes que la comida. Mucha gente puede vivir semanas sin alimento, pero nadie podría sobrevivir más que unos cuantos minutos sin oxígeno.

La Biblia describe varios tipos de ayuno y sus diferentes propósitos asociados con ese sacrificio. Nehemías, David, Ana, Jesús, Pablo y Barnabás, participaron en ayunos **normales**, es decir, abstinencia de comida sólida por varias semanas, pero nunca de agua.

Daniel no comió carne ni azúcar por 21 días, haciendo de esto, un ayuno **parcial**. Ester, es un ejemplo de un ayuno extremo, porque no comió ni bebió agua por tres días. Por otra parte, Moisés y Elías, son ejemplos de ayunos **sobrenaturales**, ya que no comieron pan ni bebieron agua por 40 días con sus noches.

Y él estuvo allí con Jehová cuarenta días y cuarenta noches: ***no comió pan, ni bebió agua;*** *y escribió en tablas las palabras de la alianza, las diez palabras.*

Éxodo 34:28

Beber agua es muy importante durante un ayuno, y uno debe tener claridad en esto para evitar que el enemigo intente destruir nuestros templos. Aquellos que son sabios, escucharán cuidadosamente al Espíritu Santo y se abstendrán de actuar en la carne o de escuchar las voces equivocadas.

Uno de los propósitos de este libro es animar a todos los lectores a que confíen en el Espíritu Santo. Hoy estás vivo, porque Él quiere que prosperes y crezcas hasta alcanzar la plenitud y la estatura de Cristo. *¡Confía en Él!* Por motivos muy específicos y bajo la dirección del Espíritu Santo, he realizado ayunos extremos en un sin número de ocasiones, cuyos resultados fueron tanto físicos como espirituales.

Existen muchos libros escritos acerca del ayuno, los cuales describen métodos y resultados. Sin embargo, este libro no se trata de las formas de ayuno, sino de los propósitos del mismo. Y una de las razones principales para escribirlo, es que quiero provocar un hambre divina en aquellos que desean experimentar lo sobrenatural de Dios en su diario vivir.

Si tomas autoridad sobre los apetitos físicos y das pequeños pasos para ser libre de la esclavitud que genera la comida, entonces, reconquistarás territorios que te han sido robados y serás contado entre aquellos que arrebatan el Reino de Dios.

Desde los días de Juan el Bautista hasta ahora, al reino de los cielos se hace fuerza, ***y los valientes lo arrebatan.***

Mateo 11:12

Al principio, todos batallamos con el ayuno debido a teologías e ideas preconcebidas. Por eso, la violencia de la que habla Jesús en el evangelio según Mateo, debe empezar por derribar nuestras estructuras y las falsas imágenes mentales que tengamos acerca de Cristo y de Sus mensajes.

La cruz es el campo de batalla en donde nuestras opiniones, sentimientos, comodidades y deseos dejan de tener influencia para poder entonces caminar en Su Reino. De hecho, el arma secreta más poderosa para desmantelar esas fortalezas, y ser liberados de estas, es el ayuno.

Mientras más pronto cerremos nuestra boca a la comida y abandonemos toda excusa u opinión sobre nuestros previos fracasos, más rápido saldremos de esas prisiones. Ayunar es la forma más poderosa y acelerada de romper las puertas que nos mantienen cautivos en la mente y en el cuerpo. Al mismo tiempo, es la manera más efectiva de que la gloria de Jesús se manifieste en nuestras vidas, demostrándole a las potestades y principados nuestro conocimiento de Cristo y Su autoridad sobre ellas.

Cuando, por primera vez, leí sobre esta violencia para arrebatar el Reino en el versículo de Mateo, me pareció muy contradictorio con la imagen de Jesús que yo tenía. Yo lo concebía como una persona amable e inocente, llevando un corderito en sus hombros, mientras sanaba a los enfermos. Esa es la manera en que la religión retrató a Jesús por siglos.

Pero Jesús se opuso violentamente a la mentalidad de este mundo, especialmente a la religión. El era tan agresivo en contra de las potestades y principados que éstas le temían, sabiendo que Él estaba preparado para dar Su vida con el fin de destruir toda su autoridad.

Jesús entendió que sería requerida Su muerte para restablecer el reino robado a Adam. Por lo tanto, aquellos que deseen ser Sus discípulos, deben ser así de apasionados. No puedes permitir que ningún obstáculo se levante en contra de tu victoria. Ayunar es *"LA"* principal herramienta para demostrar tu determinación a reconquistar aquello que le entregaste al diablo, por ignorancia.

En mi opinión, ayunar, debe ser un modelo de vida para todo discípulo. Éste traerá cambios físicos en tu cuerpo que reflejarán la transición espiritual que ha comenzado. Además, si lo estableces como una formar de vivir, los cielos permanecerán abiertos para ti. Es imposible describir la atmósfera que crea el Espíritu Santo para aquellos que ayunan, además de ser el portal por el cual entra la revelación que cambia nuestra forma caída de pensar. Por lo tanto, mientras menos dependamos del mundo material para buscar nuestro sustento, mayor será la provisión del Espíritu Santo como *"pan de cada día"*. El no sólo suple para nuestros cuerpos físicos sino que también alimenta nuestro espíritu.

Quizás, la impartición más importante que puedes recibir de esta obra, es la necesidad absoluta de ayunar para cambiar tu condición actual. Ahora bien, si estás satisfecho con tu vida y tu relación con Cristo, este material te llevará más allá de lo que ya sabes.

Muchos de los que lean este libro se identifican a sí mismos como Cristianos, de acuerdo a las corrientes doctrinales comúnmente aceptadas. Si bien ese es el principio necesario, es tan sólo el primer paso de un caminar mucho más profundo. Nuestra imagen inicial de Jesús, como Cristo, debe ascender continuamente si nuestro deseo es gobernar y reinar junto con Él.

Cada revelación de Cristo que descubrimos, nos abre una puerta a los tesoros diseñados para nuestro desarrollo personal y para nuestro destino.

EL AYUNO CUÁNTICO Y LO SOBRENATURAL

Quizás te estés preguntando, qué relación existe entre las palabras ayuno y cuántico. Desde un punto de vista natural, estos conceptos no tienen nada en común. Pero ayunar, en sí, tiene muy poco de natural. Ayunar, como estás aprendiendo en este libro, es mucho más que no comer.

Mi introducción a esta palabra y a su significado nació del deseo de comunicar mejor mis experiencias durante y después del ayuno. Este capítulo explica el significado y el propósito del título de este libro. Para entenderlo, analizaremos un par de conceptos referentes a la ciencia, la que, sin duda, me interesó mucho menos en la escuela que ahora; por lo que mis explicaciones son las de un aficionado.

Lo interesante de sumergirse en el mundo de la ciencia, es ver cómo ésta se topando con el mundo invisible, confirmando en otras palabras lo que la Biblia dijo desde mucho tiempo atrás. Ellos están descubriendo la relación que existe entre el mundo de la energía, que es el ámbito del Espíritu y el mundo natural y esto necesariamente nos amplía el entendimiento. Ahora, explicaré algunas de las conclusiones a las que han llegado, aunque ellos mismos rara vez se ponen de acuerdo cuando se trata de algunos términos, debido a que éstas provienen de creencias preconcebidas.

El diccionario *Webster´s New Collegiate,* define *"ciencia"* como el conjunto de conocimientos obtenidos mediante la observación y el razonamiento, sistemáticamente estructurados y de los que se deducen principios y leyes generales, probados por medio de métodos científicos relativos al mundo físico.

Como la definición lo indica, la ciencia reúne información y la usa para formar leyes y teorías acerca de las cosas indefinibles como *"realidad"*, la cual, de acuerdo al diccionario, **es el estado de las cosas que son o que aparentan ser.**

Una información es confiable de acuerdo a los instrumentos que se usan para obtenerla. Uno de los propósitos fundamentales de las investigaciones científicas es descubrir principios reproducibles fuera de un laboratorio.

Es importante señalar que en materia científica, el ser objetivo es imposible, debido a que aquellos que diseñan los aparatos de medición tienen ideas preconcebidas que afectan los resultados de sus investigaciones. Así, los resultados confirman las expectativas de los investigadores y no la realidad misma. De igual manera, sus opiniones y teorías sobre la creación y el origen del hombre son formadas a partir de estos métodos.

La mayoría de los intelectuales, particularmente los científicos, no toman en cuenta la Biblia y la idea de un Dios personal, y es de ésta manera que formulan sus teorías acerca de la vida y de los orígenes del hombre. De hecho, la mayoría de los profesores universitarios asumen que cualquiera que no crea en la teoría de la evolución es un ignorante.

Verdaderamente creo que cualquiera que forma su opinión acerca del origen de la vida, desde la ciencia, necesita más fe que aquellos que creen en la Biblia. La incapacidad del hombre para ser objetivo es una puerta hacia el orgullo y la arrogancia que, directa o indirectamente, impacta a la sociedad.

De acuerdo al diccionario *Merrian Webster*, ser *objetivo* significa expresar o lidiar con hechos o condiciones tal como son percibidas, sin que los sentimientos personales, prejuicios o interpretaciones las distorsionen.

Sin lugar a dudas, el mundo es mucho más de lo que el hombre puede percibir o medir con sus instrumentos. De hecho, cualquiera que haya tenido un encuentro con Cristo, ha experimentado algo innegablemente real y que no se puede medir con instrumentos humanos.

Es interesante para mí que los nuevos descubrimientos sobre la división del átomo comenzaran a cambiar algunas teorías que se tenían en el pasado, en las cuales los científicos basaban su concepto de realidad. Descubrieron un mundo que sus instrumentos son incapaces de medir pero que sin embargo tiene una innegable influencia en el mundo material. La ciencia tropezó, entonces, con una realidad extraña, cuyo comportamiento difiere de la dimensión física. Por ello, tuvieron que formar una rama de la ciencia llamada *"física cuántica"*, cuyo propósito es investigar unidades indivisibles de energía denominadas *cuantos.*

Es maravilloso descubrir cómo la ciencia está descubriendo el mundo del Espíritu y no sabe que hacer con esto.

1. Energía y Materia, las dos dimensiones

Energía y materia son las palabras más importantes del vocabulario de los físicos. Energía es la fuente desconocida de poder detrás de toda materia del universo. *La Teoría Cuántica* es una teórica física, cuyo propósito es entender las propiedades fundamentales de la materia. Esta rama de la ciencia descubrió que la energía y la materia respondían a influencias más allá de su razonamiento o comprensión. Más aún, sus instrumentos no pudieron medir correctamente los resultados de la mayoría de sus experimentos.

El origen y relación entre el mundo visible e invisible, sigue siendo un misterio para la ciencia, la cual ha intentado resolver ésta interrogante estudiando la energía y la materia, y como consecuencia sólo han encontrado más y más preguntas.

Dijimos anteriormente que la ciencia usa los términos

materia y energía para describir sus investigaciones del mundo material. Como Cristianos, sabemos que el hombre es un espíritu que reside temporalmente en un cuerpo material. La ciencia quiere obtener respuestas sobre nuestro origen a partir del mundo invisible de la energía, ya que se rehúsa a reconocer nuestra identidad espiritual.

Ponga Jehová, ***Dios de los espíritus de toda carne,*** *un varón sobre la congregación...* *Números 27:16*

Por otra parte, tuvimos a nuestros padres terrenales que nos disciplinaban, y los venerábamos. ¿Por qué no obedeceremos mucho mejor al ***Padre de los espíritus,*** *y viviremos?*
Hebreos 12:9

Dios es Espíritu; y los que le adoran, en espíritu y en verdad es necesario que adoren. *Juan 4:24*

La ciencia gasta millones de dólares construyendo instrumentos tales como un *"supercolisionador"*. Esta es una máquina que produce la colisión de partículas subatómicas y esto con el fin de descubrir la *"partícula dios"* o, el material que da a la materia, masa. En otras palabras, los físicos creen que la sustancia que formó el mundo físico, después del *"big bang"*, puede ser encontrada colisionando partículas de materia subatómica a la velocidad de la luz.

De esta manera, su búsqueda por respuestas concernientes a la creación, se forma del mundo material, en vez de buscarla dentro de sus corazones. A pesar de esto, los científicos han aprendido rápidamente que la realidad invisible controla el mundo material.

Porque la sabiduría de este mundo es insensatez para con Dios; pues escrito está: El prende a los sabios en la astucia de ellos.
1 Corintios 3:19

La fe es la herramienta y el poder que los Cristianos deben usar para entender lo espiritual o el mundo invisible. Por lo general, la ciencia no creerá aquello que no puede medir y, como resultado, nunca podrá comprender la dimensión espiritual. No obstante, Dios se está revelando a los incrédulos de este mundo, incluyendo los científicos. Él está confundiendo a los sabios con la esencia fundamental de toda la materia: *el átomo*. Éstos son la piedra angular para todo lo visible e invisible. El sol, el aire, el agua, los planetas, las sillas, la comida y nuestros cuerpos están compuestos de átomos.

Los científicos, quienes establecieron o definieron el modelo tradicional del átomo, sostienen que hay unas partículas llamadas electrones las cuales orbitan su núcleo, muy parecido a como los planetas rotan alrededor del sol. Sin embargo, a través de los nuevos microscopios electrónicos se descubrió que eso no era así (VER FIGURA 1). Su creencia era incorrecta. Los electrones no orbitan alrededor del núcleo de un átomo en una trayectoria uniforme, sino que son como nubes de energía destellando en diversas direcciones simultáneamente (VER FIGURA 2).

Esto parece indicar que los electrones están en muchos lugares al mismo tiempo, lo que hace que el mundo invisible de la energía sea un misterio para la ciencia y no se ajuste a sus teorías ni a sus leyes.

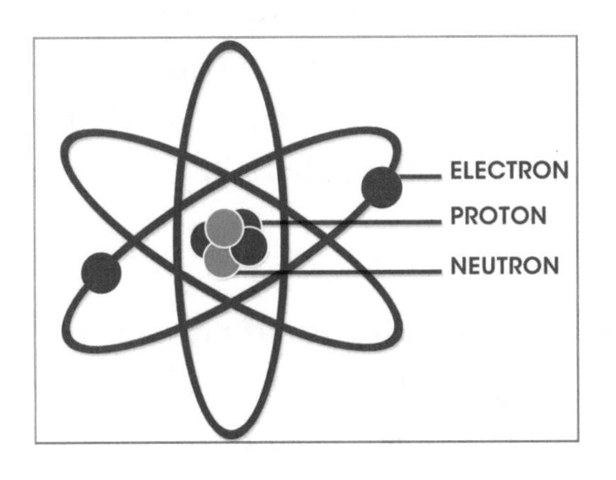

Figura 1

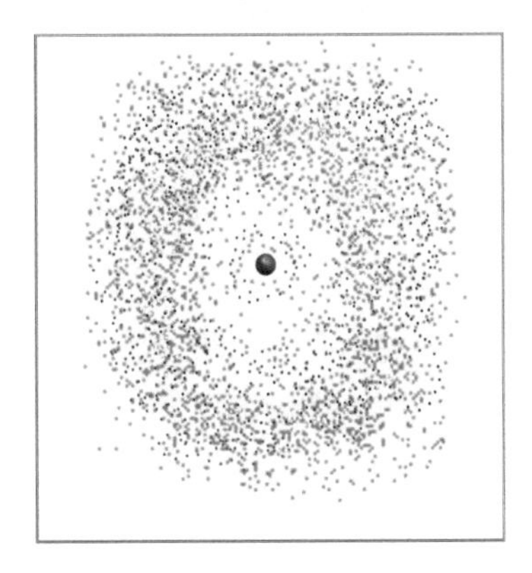

Figura 2

Los átomos tienen 99.99% de espacio vacío, lo que nos lleva a pensar: ¿qué evita que un objeto pase a través de otro? Cada átomo vibra a una frecuencia diferente, de acuerdo a su composición de *electrones, protones y neutrones*. Los primeros rodean el átomo, formando una nube que repele o atrae otros átomos con la misma vibración.

Esto se puede entender cuando analizamos lo que sucede cuando caminamos en una acera de concreto. Los electrones del pavimento repelen a los electrones de tus zapatos, por lo que en realidad, tú estás flotando sobre la acera.

Diversas investigaciones sugieren que éstas nubes u ondas de electrones se hacen visibles cuando cambian o *"parpadean"* cada cierto tiempo, formando partículas de materia; en un abrir y cerrar de ojos son transformados, pasando de la dimensión invisible a la visible. **Esto es importante entenderlo porque la ciencia está desesperada por aprender cómo la energía se convierte en materia.** Desde una perspectiva Cristiana, este tema es también fascinante, cuando leemos el término *"abrir y cerrar de ojos"* en el contexto de la carta de Pablo a los Corintios:

He aquí, os digo un misterio: No todos dormiremos; pero todos seremos transformados, en un momento, ***en un abrir y cerrar de ojos,*** *a la final trompeta; porque se tocará la trompeta, y los muertos serán resucitados incorruptibles, y nosotros seremos transformados.* *1 Corintios 15:51-52*

El ámbito espiritual es lo que la ciencia denomina energía; pero sólo Cristo puede determinar lo que se hará visible o invisible. La eternidad reside dentro de Él, y Pablo experimentó esto después de su encuentro con Jesús, camino a Damasco.

Porque en él fueron creadas todas las cosas, las que hay en los cielos y las que hay en la tierra, visibles e invisibles; sean tronos, sean dominios, sean principados, sean potestades; todo fue creado por medio de él y para él.
Y él es antes de todas las cosas, y todas las cosas en él subsisten... ***Colosenses 1:16-17***

El encuentro de Pablo con Jesús, camino a Damasco, fue muy profundo y necesario para que él ayunara comida y agua por tres días y así, recibir la revelación espiritual que la iglesia de hoy aún no comprende en su totalidad.

Donde estuvo tres días sin ver, y no comió ni bebió.

Hechos 9:9

El Señor le dijo: Ve, porque instrumento escogido me es éste, para llevar mi nombre en presencia de los gentiles, y de reyes, y de los hijos de Israel. Porque yo le mostraré cuánto será afligido y cuánto deberá soportar y sufrir por amor a mi nombre.

Hechos 9:15-16
(Biblia Amplificada)

La autoridad sobre el mundo visible, comienza con una relación con el Creador de ambas dimensiones. La voz de Cristo es la frecuencia invisible e inconmensurable que une todas las cosas en el mundo material. El sonido de Su Palabra crea energía y forma materia, y aquellos que han tenido un encuentro personal con Él, conocen Su voz, que es la frecuencia de la vida, tanto de lo invisible como de lo visible.

Ahora bien, el mundo invisible de energía se materializa en lo físico a través de un fenómeno conocido como *"la función de onda colapsada"*, que describe el proceso de materialización de electrones desde la dimensión invisible de energía al mundo físico de la materia. Las razones de esto han sido objeto de investigación por años.

Toda vida orgánica está rodeada por campos eléctricos de energía invisible. Por ejemplo, la energía de un ser humano emite frecuencias o vibraciones consistentes con cada individuo. La ciencia ha determinado que la energía se convierte en materia después de que la nube o energía que rodea el átomo, encuentra una frecuencia o vibración que altera su campo electromagnético.

La energía de una persona, que observa el mundo invisible, afecta directamente la naturaleza y el carácter del átomo, transformándolo de energía a materia. El mundo invisible está directamente afectado por nuestra naturaleza espiritual, creando encuentros divinos con el Espíritu Santo. Estas son citas clandestinas que están diseñadas para reunirnos con nuestro Padre Celestial.

El ser conscientes de la realidad invisible es otra manera de describir la energía que una persona libera cuando cree firmemente en algo. Por lo tanto, cuando oramos o pensamos acerca del mundo invisible, esa energía que se desata interactúa con la cubierta que rodea esos átomos invisibles, haciendo que la energía se convierta en materia.

Es, pues, la fe la certeza de lo que se espera, la convicción de lo que no se ve. *Hebreos 11:1*

En otras palabras, el mundo invisible, está lleno de cosas que existen potencialmente y que están *"en espera"* de ser activadas por alguien. De acuerdo a la ciencia, el observar este mundo invisible de energía es tanto la causa como el efecto, en la creación del universo material; por lo que, el observador determina, subconscientemente, la realidad de su mundo a través de lo que cree y piensa.

Por esta causa, no puede haber un estudio objetivo del mundo invisible debido a que, sin ser su intención, las personas interfieren con su *"realidad"*. Cada quien encuentra los resultados que tenía preconcebidos sin darse cuenta que hubo una participación subconsciente en las conclusiones de su investigación. Por consiguiente, lo que concebimos como sólido en nuestro mundo físico, en realidad no lo es. Lo que ocurre es que tanto la energía como la materia están girando a la velocidad de la luz, produciendo la ilusión de solidez. La realidad de esta ilusión se acentúa por la consciencia colectiva de la sociedad.

Por ejemplo, los medios de comunicación y el modelo de educación, son responsables de perpetuar la creencia de que sin una vacuna contra la gripe, tendremos como resultado una epidemia mundial. Esto, forma una mentalidad entre la población, que la medicina y los médicos son la única respuesta a las dolencias físicas y a la enfermedad.

Frente a esta situación, hay muy poco que el hombre puede hacer para cambiar la consciencia colectiva, lo cual ha desencadenado el estado actual de nuestro mundo material. En otras palabras, hemos heredado la denominada *"función de la ola colapsada"*. A pesar de esto, nuestra vida personal puede ser cambiada a través de los principios de Cristo y Su Reino, incluso, la ciencia está analizando las palabras de nuestro Señor.

Jesús le dijo: Si puedes creer, al que cree todo le es posible.

Marcos 9:23

Mi experiencia con la realidad invisible comenzó con las diversas visitaciones angelicales descritas anteriormente. El Espíritu Santo me ayudó tanto, a abrir mis ojos espirituales para ser testigo y entender el poder que separa los dos mundos, como también a comprender las tinieblas que cubren la mente del hombre.

Y oró Eliseo, y dijo: Te ruego, oh Jehová, que abras sus ojos para que vea. Entonces Jehová abrió los ojos del criado, y miró; y he aquí que el monte estaba lleno de gente de a caballo, y de carros de fuego alrededor de Eliseo. *2 Reyes 6:17*

Él me explicó también que el Reino de Dios era visible para aquellos cuyos espíritus eran transformados *"naciendo de nuevo"* en Su Espíritu. Esto ocurre porque el mundo invisible vibra a frecuencias muy altas para que el ojo natural las pueda ver.

Respondió Jesús y le dijo: De cierto, de cierto te digo, que el que no naciere de nuevo, no puede ver el reino de Dios.

Juan 3:3

La ciencia ha documentado el efecto del hombre sobre la materia a través de la interacción de su campo electromagnético. La analogía de un satélite transmitiendo señales, las cuales recibimos en nuestros televisores, es un ejemplo de la forma en que los seres humanos emitimos la energía. De hecho, estamos diseñados tanto para recibir, como para enviar señales. La mayoría de la gente asume que el transmisor del cuerpo es la mente, sin embargo, investigaciones recientes, indican que nuestro corazón o espíritu, como lo llama la Biblia, produce las frecuencias más fuertes y son estas las que alteran el campo atómico que nos rodea.

En otras palabras, la ciencia cree que la energía invisible emitida desde el corazón del hombre es más fuerte que su actividad mental. Otra vez, la Biblia, escrita antes que los actuales instrumentos de medición, está al frente de los descubrimientos de la física moderna.

Porque cual es su pensamiento en su corazón, tal es él.
Proverbios 23:7

Porque donde esté vuestro tesoro, allí estará también vuestro corazón. *Mateo 6:21*

Porque del ***corazón*** *salen los malos pensamientos, los homicidios, los adulterios, las fornicaciones, los hurtos, los falsos testimonios, las blasfemias.* *Mateo 15:19*

Porque de cierto os digo que cualquiera que dijere a este monte: Quítate y échate en el mar, y no dudare en su ***corazón,*** *sino creyere que será hecho lo que dice, lo que diga le será hecho.*
Marcos 11:23

La ciencia confirma lo que están experimentando aquellos cuyos espíritus están inmersos en Cristo. El corazón del hombre fue diseñado para ser el tabernáculo de Dios y para tener dominio sobre el alma (pensamiento) y sobre el cuerpo. De hecho, la mente nunca será convertida hasta que ésta transformación ocurra en el corazón, porque los pensamientos están en la frecuencia de este mundo, no en la del Reino de Dios.

Por un lado, el espíritu del hombre es la fuente de fe, pero fe sin amor nunca cambiará las circunstancias en el mundo natural. Por otro lado, el corazón es la fuente del amor, debido a que su origen está en el corazón de Dios. El amor es una frecuencia celestial derivada del ADN del Creador y la sustancia de todas las cosas.

Y ahora permanecen la fe, la esperanza y el amor, estos tres; pero el mayor de ellos es el amor.

1 Corintios 13:13

El que no ama, no ha conocido a Dios; porque ***Dios es amor.***

1 Juan 4:8

Y nosotros hemos conocido y creído el amor que Dios tiene para con nosotros. ***Dios es amor; y el que permanece en amor, permanece en Dios, y Dios en él.*** *1 Juan 4:16*

El amor es la frecuencia de Dios y la fe es la antena requerida para verlo y oírlo. La razón por la que el hombre no cree, es que ha hecho de su mente, el receptor, y no su corazón. La importancia de este descubrimiento debería redefinir tu fe. Si como Cristianos hiciéramos lo que fuese necesario para entender nuestra naturaleza espiritual, nuestro mundo y nuestras futuras generaciones, nunca serían las mismas.

Los Cristianos cuyos espíritus están conectados con Dios, testificarán cómo lo inmaterial de los cielos es manifestado en la tierra, o lo que la ciencia denomina *"la función de onda colapsada"*. En este sentido, ayunar cambió mi frecuencia y extendió mi antena. De hecho, el ayuno cuántico describe mis experiencias más allá del sacrificio de comer, por lo que uso el término *"cuántico"*, como un puente entre las realidades visible e invisible. Este libro se trata de los resultados del ayuno, más que de sus métodos, como dije anteriormente.

Aquéllos que están hambrientos por Su presencia y quieren hacer del ayuno una forma de vida, experimentarán lugares dentro de Dios, reservados sólo para los discípulos, quienes entienden realmente el fruto de la disciplina. Es de ésta manera que descubrirás tesoros hermosos, mucho más valiosos que la vida física en sí misma. Para mí, **el ayuno cuántico es el sacrificio visible de dejar de comer para participar de la naturaleza divina de Dios.**

Como todas las cosas que pertenecen a la vida y a la piedad nos han sido dadas por su divino poder, mediante el conocimiento de aquel que nos llamó por su gloria y excelencia, por medio de las cuales nos ha dado preciosas y grandísimas promesas, para que por ellas llegaseis ***a ser participantes de la naturaleza divina,*** *habiendo huido de la corrupción que hay en el mundo a causa de la concupiscencia;* *2 Pedro 1:3, 4*

Ayunar es para mi espíritu lo que el oxigeno es para mi cuerpo. Ayunar disminuye los estímulos de este mundo físico para incrementar la consciencia del mundo invisible.

Este tipo de ayuno representa un paso físico en el portal invisible que te lleva a experiencias con Cristo y, es además, la forma más rápida para que uno mismo se divorcie efectivamente del mundo material.

Verdaderamente creo que el vivir sin comida por extensos periodos de tiempo fue lo que usó el Espíritu Santo para reestructurar mi mente. Ayunar, cambió mi vida desde mi interior, y me expuso a la realidad de Cristo.

Cada experiencia se ha convertido en una fuente perpetua que arroja revelación fresca todos los días. Lo que hoy tengo de Jesús sólo es suficiente para darme sed y querer más mañana. El mundo que experimentamos en nuestro cuerpo físico está validado por nuestros cinco sentidos, que se expresan a través del olfato, el tacto, el oído, el gusto y la vista. Sin embargo, cada uno de nosotros tiene un espíritu y un alma, compuestos de materiales no discernibles por nuestros sentidos.

Ayunar, alimenta mi espíritu y mata el hambre de mis sentidos, creando una atmósfera de silencio dentro de mi cuerpo y de mi mente. Mientras más ayuno, mayor es Su presencia en mí, que anuncia más de Su paz y tranquilidad.

Ayunar, crea un conocimiento dentro de tu ser que trasciende cualquier emoción o sentimiento del mundo natural. Tu mente se despierta a la realidad de Cristo y Sus palabras se convierten en una dimensión eterna en constante expansión, que requiere de entendimiento espiritual.

Uno de los mayores beneficios que he recibido a través del ayuno cuántico, es la habilidad de permanecer en paz después de haber descubierto que tristemente mis creencias se formaron, esencialmente a partir de mis cinco sentidos. Este hallazgo lejos de frustrarme, abrió mis ojos a la realidad de Cristo y de Su Reino en mí.

El ayuno, hizo dolorosamente claro que mis experiencias con Dios y Su Palabra, eran sumamente superficiales, ya que no tenía una revelación personal de Él. Fue sólo después de ayunar que mis encuentros personales se incrementaron, a un punto donde Él fue quien me enseñó Sus caminos.

2. La Luz de Cristo versus la luz de la ciencia

Juan identificó a Jesús como *"el Verbo de Dios"*, Quien es la fuente, tanto del mundo invisible, como del visible. Su Palabra es la estructura atómica que sostiene todas las cosas. Escribí *"Palabra"*, en mayúscula, para ilustrar que Jesús, es quien dice ser.

En el principio era el Verbo, y el Verbo era con Dios, y el Verbo era Dios. Y aquel Verbo fue hecho carne, y habitó entre nosotros (y vimos su gloria, gloria como del unigénito del Padre), lleno de gracia y de verdad. *Juan 1:1,14*

Y él es antes de todas las cosas, y todas las cosas en él subsisten; *Colosenses 1:17*

De la Palabra nace la vida, y la Palabra, que es la vida, es también nuestra luz. *Juan 1:14 (TLA)*

Jesús dijo que los hombres amaron más las tinieblas que la luz. Por lo tanto, cuando el hombre edifica su vida y sus creencias desde una mente sin Cristo, el resultado que obtendrá serán más tinieblas.

La luz *en las tinieblas resplandece, y las tinieblas no prevalecieron contra ella.* *Juan 1:5*

Y esta es la condenación: que la luz vino al mundo, y los hombres amaron más las tinieblas que la luz, porque sus obras eran malas. *Juan 3:19*

Otra vez Jesús les habló, diciendo: Yo soy la luz del mundo; el que me sigue, no andará en tinieblas, sino que tendrá la luz de la vida. *Juan 8:12*

El estudio de la luz y sus propiedades ha descubierto muchos tesoros ocultos del universo, que han colaborado con la ciencia tecnológica para darnos mayor bienestar y comodidad en el mundo que vivimos. Este es quizás, el tema más estudiado por la ciencia debido a su directa relación con la vida; conclusión a la que ya habían llegado los que han leído la Biblia.

Y dijo Dios: Sea la luz; y fue la luz.

Génesis 1:3

Todas las cosas por él fueron hechas, y sin él nada de lo que ha sido hecho, fue hecho.
En él estaba la vida, y la vida era la luz de los hombres.

Juan 1:3, 4

Sin embargo, la luz mencionada en la escritura de arriba, no es la misma luz que la ciencia ha estudiado. Creo que la escritura anterior representa a Dios liberando Su gloria o inteligencia eterna en el universo, las cuales son la luz y la vida de la raza humana. Según el libro de Génesis, la luz del sol, de la luna y de las estrellas no fue creada, sino hasta el cuarto día.

E hizo Dios las dos grandes lumbreras; la lumbrera mayor para que señorease en el día, y la lumbrera menor para que señorease en la noche; hizo también las estrellas.
Y las puso Dios en la expansión de los cielos para alumbrar sobre la tierra,
Y para señorear en el día y en la noche, y para separar la luz de las tinieblas. Y vio Dios que era bueno.
Y fue la tarde y la mañana el día cuarto.

Génesis 1:16-19

La luz estudiada por la ciencia, produce sombras y está sujeta al tiempo ya que es un subproducto de la luz original, la cual es Cristo. La luz natural es necesaria para la vida en el mundo material, mas no es LA LUZ verdadera, la cual no tiene sombras y se origina en Dios.

Toda buena dádiva y todo don perfecto desciende de lo alto, del Padre de las luces, en el cual no hay mudanza, ni sombra de variación. *Santiago 1:17*

Los descubrimientos que el hombre natural hace del universo, y las decisiones que éste toma, provienen de sombras e ilusiones mentirosas, de una luz fuera de Dios. Si no experimentamos la gloria de Dios en Cristo, nuestras mentes serán incapaces de discernir la verdadera luz.

Porque contigo está el manantial de la vida; En tu luz veremos la luz. *Salmos 36:9*

Nuestro maravilloso universo fue creado para que el hombre descubriera que Dios es el autor de la vida, tanto la material, como la invisible; y los que han *"nacido en Cristo"*, están experimentando la eternidad como una realidad ahora.

Si estás viviendo, en enfermedad, en dolencias o en pecado, muy posiblemente se debe, a que estás formando tu imagen de Cristo desde la luz equivocada. Aquellos espíritus que han sido despertados en Cristo, residen en Su Luz, la cual ilumina ambas realidades, la visible e invisible.

Y se transfiguró delante de ellos, y resplandeció su rostro como el sol, y sus vestidos se hicieron blancos como la luz.

Mateo 17:2

La escritura anterior no es una historia más para llenar páginas de la Biblia. La autoridad sobre las tinieblas y el infierno se encuentra en una experiencia verdadera con Cristo, la cual hace que estos huyan. Esto no sucederá a través de métodos o doctrinas, sino de un encuentro cara a cara con Él. Esa experiencia está garantizada para aquéllos que dediquen su vida al ayuno y la oración.

Ayunar es una poderosa herramienta, la cual cambia la química del cuerpo y permite que la gloria de Dios, penetre nuestros corazones para revelar la verdadera luz.

La luz de Cristo es la fuente y la energía de toda vida. Tan sólo Sus palabras son los átomos que sustentan el mundo material, y crean las múltiples dimensiones de los cielos para que sus hijos la disfruten. Jesús restableció el Reino de Dios en la tierra para demostrar Su autoridad y poder sobre todas las fuerzas provenientes de la luz creada en el cuarto día. Sus milagros y resurrección fueron pruebas de Su dominio sobre el pecado, la enfermedad y la muerte. Como Cristianos, no deberíamos permitir que la ciencia física o médica, sea la palabra final en cuanto al origen del hombre, o su salud, o su sanidad. En la mayoría de los casos, sus descubrimientos y diagnósticos, son el resultado de conclusiones elaboradas sin tomar en cuenta a Dios.

A lo largo de los siglos, la ciencia ha descubierto algunas de las leyes que Dios usó para crear y mantener nuestro majestuoso universo, sin embargo, nunca encontrarán la fuente o el origen de estas cosas hasta que se sometan a Cristo, nuestro Señor. Esta misma verdad se aplica para aquellos que se llaman Cristianos, pero que confían más en las palabras del hombre que en las de Jesús.

Si bien nuestro Creador nos diseñó para que viviéramos en el mundo físico, quería que tuviéramos acceso a Él por medio de nuestro espíritu, de otra manera, estaríamos en un constante conflicto entre el alma y el cuerpo. Sin entendimiento espiritual, el alma y el cuerpo no tienen cómo discernir o tomar las decisiones correctas en un mundo regido por los sentidos. Es por eso que, la mayoría de las personas en este mundo, vive en caos, ya que están ajenos a la realidad del mundo invisible.

Algunas personas tienen experiencias extrasensoriales, lo que creaen ellas un hambre de conocer el origen y al Creador que las produjo. *"Algo"*, dentro de todo ser humano, sabe que hay más de lo que los sentidos detectan. Ese *"algo"* es el espíritu dormido del hombre que clama por ser escuchado.

No te rindas a las emociones o sensaciones que provienen de tus sentidos, aunque creas que son reales. No hay nada que temer si verdaderamente has pasado de la muerte a la vida confiando en Cristo. Las tinieblas y el enemigo saben que, una vez que comiences a ayunar, su control sobre ti está en peligro. La elección es tuya y siempre lo ha sido, pero tienes que renunciar al miedo y a la duda, ya que tu victoria fue garantizada en la cruz.

El ayuno cuántico describe la experiencia de todos aquéllos que están determinados a clavar todo en la cruz, comenzando con la comida y siguiendo con las doctrinas erróneas de Cristo ysus ideas preconcebidas. Aquéllos que se expongan a este estilo de vida, recibirán, de múltiples maneras, la sabiduría y el poder de Dios para operar en el mundo espiritual. Esto requiere destronar la mente de su posición de autoridad y poder. Esto quiere decir que, para cambiar la manera en que pensamos, debemos tener nuestro espíritu despierto y completamente activado por el Espíritu Santo.

3. El Espíritu Santo y la realidad del mundo invisible

Debo señalar aquí que el bautismo del Espíritu Santo es, quizás, una de las herramientas de poder más mal entendidas, que Jesús nos entregó. Tras de ser sumergidos en el Espíritu Santo, tu preocupación no será tanto cuestionarte sobre el hablar en lenguas sino el *alimentar* tu espíritu en lugar de tu carne.

Una de las evidencias de los que han sido bautizados por el Espíritu, es que sus bocas ya no están ansiosas por comer y ni por generar conversaciones nocivas o superficiales. Muchas veces, el Espíritu Santo me habla durante la hora de la comida y he tenido que excusarme de la mesa para ir a escucharlo.

Una de las cosas más profundas que he aprendido a través del ayuno, es que Adán cayó por abrir su boca para comer. Por lo tanto, mientras más cierro la boca, mayor es la oportunidad de ser alimentado por el Espíritu de Dios. Jesús les dijo a Sus discípulos que Su alimento no dependía de este mundo natural.

El les dijo: Yo tengo una comida que comer, que vosotros no sabéis. *Juan 4:32*

La física cuántica ha demostrado no tener respuestas a las preguntas relativas al origen del hombre y su propósito. Mientras más tratan de entender los misterios de Dios, sin reconocer Su supremacía, más preguntas quedan en el tintero. Sin embargo, el estudio del mundo subatómico, ha generado un lenguaje para los que hemos sido transformados por Cristo, que nos permite comunicarnos con los incrédulos. El mundo, en general, depende de la ciencia para resolver sus problemas y satisfacer el vacío dentro de sus almas, lo cual no es sino un anhelo inconsciente por conocer a Cristo.

Los físicos han concluido que nuestro mundo es un océano de energía sin fin, con una cantidad infinita de posibilidades. De esta manera, nuestras mentes convierten energía en materia a través de experiencias, creencias y tradiciones. Ellos creen, además, que el universo y nuestro mundo son ilusiones creadas a partir de percepciones de nuestra mente; y si éstas no le dan forma ni lo configuran, el universo sería tan sólo como un océano de átomos sin fin, lleno de incontables posibilidades.

Si cambias las palabras *"energía"*, por el Espíritu de Dios y “materia” por material, se hace muy sencillo traducir los resultados de la ciencia en términos bíblicos. Los siguientes versículos responden a todos los problemas de la ciencia, aunque la incredulidad genere más preguntas que respuestas.

Porque en él fueron creadas todas las cosas, las que hay en los cielos y las que hay en la tierra, visibles e invisibles; sean tronos, sean dominios, sean principados, sean potestades; todo fue creado por medio de él y para él.
Y él es antes de todas las cosas, y todas las cosas en él subsisten; *Colosenses 1:16-17*

La fuente de esa energía que forma la relación entre todo objeto material, es Cristo. Más importante aún, sin Su consentimiento, nuestra habilidad de respirar o preguntar dejaría de existir. Jesús es la fuente que conecta nuestros átomos con Él, en el mundo material. Su Palabra, es la frecuencia que al vibrar, sostiene todas las cosas, y si ese tono cambia, nuestra estructura atómica se disuelve.

Jesús está en todo y es todo, lo que significa que está dentro, fuera y más allá del tiempo, Él es la constante antes, durante y después de toda experiencia consciente de vida. La eternidad vive dentro de Dios, porque en Él no hay principio ni fin. Por lo tanto, la eternidad no comienza cuando morimos, como muchos creyentes piensan. Cristo, es la eternidad y los que prueben de Él nunca morirán.

El ayuno cuántico nos permite entrar en nuestra espíritu,

alma y cuerpo, descubriendo eventos ocultos que ocurrieron antes de la fundación del mundo. Dios es el creador de todos los espíritus y es la fuente de la creación; lo que quiere decir que nuestro ADN está fundado en Aquel quien nos formó a Su imagen y semejanza.

Este es el pan que desciende del cielo, para que el que de él come, no muera. *Juan 6:50*

El mundo espiritual es multidimensional y la habilidad para entender la Biblia, requiere de conocimiento espiritual que no se encuentra en el mundo material. Es por eso que una iglesia que no entiende el ámbito del Espíritu, tampoco podrá discernir e interpretar Las Escrituras correctamente.

En las siguientes secciones, explicaré el poder del ayuno cuántico en nuestro ser tripartito. Cada naturaleza de nuestro ser está intrínsecamente entrelazada, una con la otra, y tiene que ser sometida a una cirugía espiritual conducida por el Espíritu Santo a través del ayuno.

Nada es más gratificante que ser separado, limpiado y re-ensamblado por Él, QUIEN nos creó. Mientras más rápido nos sometamos a Su camino, más pronto obtendremos acceso a la presencia angelical que ministra cada una de nuestras necesidades.

SECCIÓN III

EL ESPÍRITU

EL ESPÍRITU

Y el mismo Dios de paz os santifique por completo; y todo vuestro ser, espíritu, alma y cuerpo, sea guardado irreprensible para la venida de nuestro Señor Jesucristo.

1 Tesalonicenses 5:23

Dios hizo al hombre un ser tripartito, para que reinara junto con Él, tanto en la realidad física cómo en la espiritual. El poder del ayuno transciende ambas realidades y purifica, con efectividad, cada parte de la naturaleza del hombre, es decir, cuerpo, alma y espíritu. La función de este libro es que te familiarices con el poder del ayuno en cada una de ellas.

El espíritu del hombre es, sin duda, su parte más importante, ya que es la que posee las características y la naturaleza más similares al Padre. Los que ayunan por periodos extensos de tiempo, saben que tienen acceso a áreas dentro de Dios, que muy pocos han experimentado.

Estos lugares están llenos de tesoros que este mundo no podrá apreciar jamás. Jesús le dijo a los Fariseos en Lucas 16:15

"Las cosas de este mundo, que son valiosas para el hombre, son abominables para Dios". (Traducción Literal)

El poder de los pensamientos del Espíritu Santo, ha creado un terremoto dentro de mi espíritu, cuyos efectos continúan hasta hoy, despertándome a grandes revelaciones de Cristo **y Su obra terminada.**

6

MIS PALABRAS SON ESPÍRITU Y VIDA

Jesús, hizo una de las declaraciones más importantes de todas las Escrituras y se encuentra en Juan 6:63. He incluido algunas traducciones de este pasaje para enfatizar su importancia.

El Espíritu es el que da vida; ***la carne para nada aprovecha;*** *las palabras que yo os he hablado son espíritu y son vida.*

La Biblia de las Américas (© 1997 Lockman)

La vida es espiritual; *Tu existencia física no contribuye a esa vida. Las palabras que te he hablado son espirituales, son vida.*

Traducción de la versión God's Word

El que da vida es el Espíritu de Dios; ***La carne no otorga ningún beneficio;*** *Las palabras que les he hablado son Espíritu y son vida.*

Traducción de la Biblia Weymouth

El Espíritu es el dador de vida; ***la carne no tiene ningún valor.*** *Las palabras que les he hablado son espíritu y son vida.*
Nueva Versión Internacional

Quizás, la traducción de la versión *"La Palabra de Dios"* (God´s Word) ilustra, de mejor manera, por qué la raza humana en su estado carnal, tiene tantas desventajas. El mundo físico es de por sí complejo y difícil de entender, y si a esto, le sumamos la presión de la familia, el trabajo y el dinero, casi no queda tiempo para contemplar el mundo invisible.

Jesús dijo que la carne no tiene ningún valor, sin embargo yo mismo lo descubrí a Él estando en mi cuerpo de carne, pero mi definición de carne y la de Dios son muy diferentes. De hecho, el diccionario define *"carne"* como la sustancia *"blanda"* del ser humano o de otro animal, consistente de músculos y tejido graso.

Luego, cuando veo mi cuerpo de carne en el espejo, no estoy viendo al ser esencial por el cual Cristo murió. Ni debe ser tampoco mi naturaleza física la que tome decisiones basada en mis sentimientos y emociones.

Esto es lo que Jesús les quiso explicar a los Judíos, que todas sus leyes en cuanto a asuntos físicos, tales como lavarse las manos o los platos y los vasos, no tenían ningún valor espiritual para Su Padre.

Dios les había dado estas leyes con la esperanza de que buscaran la conexión espiritual que los mantuviera en santidad.

Tú espíritu, es quien en realidad tú eres, y vive, tomando de la vida que se encuentra en las palabras de Jesús. Si Él deja de hablarnos, dejamos de existir, es así de simple.

Y el Señor le dijo: Ahora vosotros los Fariseos lo de fuera del vaso y del plato limpiáis; mas lo interior de vosotros está lleno de rapiña y de maldad. *Lucas 11:39*

Ay de vosotros, escribas y Fariseos, ¡hipócritas! porque limpiáis lo que está de fuera del vaso y del plato; mas de dentro están llenos de robo y de injusticia. *Mateo 23:25*

Una de las llaves más importantes, tanto para entrar como para entender el mundo espiritual, es el ayuno, el cual inicia la batalla para retornar a nuestra naturaleza divina. Jesús ilustró esto después de ser bautizado.

Él vino desde el mundo invisible para hablar palabras del Espíritu, lo que requiere de entendimiento espiritual. Por lo tanto, si deseamos comprender la Biblia o las palabras que Jesús habló, debemos escuchar y ver espiritualmente. Sus palabras son los únicos contenedores de vida, porque Él es la vida de toda criatura.

Permítame retomar el tema de la física cuántica. **Esta ciencia reconoce que hay una conexión entre toda sustancia material y la energía**. Ahora bien, si intercambiamos la palabra energía por el Espíritu de Jesús, podemos hacer un paralelo entre la Biblia y la ciencia. Esta última cree que todo provino de la energía del mundo subatómico, donde todo existe en un estado invisible de múltiples posibilidades.

Todas las cosas por él fueron hechas, y sin él nada de lo que ha sido hecho, fue hecho. En él estaba la vida, y la vida era la luz de los hombres.
Juan 1:3-4

Porque en él fueron creadas todas las cosas, las que hay en los cielos y las que hay en la tierra, visibles e invisibles; sean tronos, sean dominios, sean principados, sean potestades; todo fue creado por medio de él y para él.
Y él es antes de todas las cosas, y todas las cosas en él subsisten.

Colosenses 1:16-17

NUESTRO ESPÍRITU, LA LLAVE DE DIOS

Para entender verdaderamente nuestro espíritu y su autoridad sobre el mundo invisible es necesario ayunar.

Muchos cristianos están de acuerdo con que el hombre es espíritu, alma y cuerpo. El reto comienza cuando intentamos comprender la composición y el propósito de cada una de estas partes. La única herramienta que he descubierto, que revela las características únicas de cada persona y su propósito, es el ayuno.

*Y el mismo Dios de paz os santifique por completo; y todo vuestro ser, **espíritu, alma y cuerpo,** sea guardado irreprensible para la venida de nuestro Señor Jesucristo.*

1 Tesalonicenses 5:23

Jesús, el hijo de Dios hecho carne, tenía en Él al Padre y al Espíritu, como lo vemos en el siguiente versículo. El representa el modelo perfecto de espíritu, alma y cuerpo, completamente santificado.

Porque en él habita corporalmente toda la plenitud de la Deidad, *Colosenses 2:9*

El Padre, el Hijo y el Espíritu Santo son simultáneamente uno y, a la vez, distintos, por eso Dios formó al hombre a Su "imagen y semejanza". *Génesis 1:26*

Dios es Espíritu; y los que le adoran, en espíritu y en verdad es necesario que adoren. *Juan 4:24*

Nuestro espíritu fue creado de la misma naturaleza de Dios para conferir al hombre su verdadera identidad y propósito. El hombre, al perder su naturaleza espiritual, después de la desobediencia, creó un desequilibrio en su carácter y en su manera de pensar, y es desde este desbalance que el hombre procura descubrir su origen y su propósito. Esto es equivalente a remar un bote con un solo remo. La trayectoria consistirá, en dar círculos sin sentido y sin acercarse a su destino.

Las tribulaciones de este mundo, obedecen al vacío espiritual dentro de la humanidad. Esto es crucial entenderlo si, honestamente queremos descubrir la verdad sobre nuestro lugar y propósito en la Tierra. De lo contrario, seremos agobiados por el temor e incredulidad endémicos entre aquellos cuyo espíritu no está conectado a su Padre celestial.

Si el hombre nada más necesitase de su cuerpo y su cerebro para descubrir su origen, el mundo estaría libre de pecado, de enfermedad, de dolencias y muerte. El hombre es incapaz de encontrar las respuestas que cambien el mundo, ya que, el primer paso debe ser el reconocer que Cristo es, quien dijo ser. A esto debemos sumar que, la Iglesia, a quien le corresponde llevar a cabo este cambio, en muchos casos ha sido negligente en entrenar a la gente acerca de su naturaleza espiritual.

Profecía de la palabra de Jehová acerca de Israel. Jehová, que extiende los cielos y funda la tierra, ***y forma el espíritu del hombre dentro de él, ha dicho:***

Zacarías 12:1

El hombre se encuentra desamparado hasta que no encuentre a su Padre verdadero, y no se postrará delante de Jesús hasta descubrir La verdad por sí mismo. Ni la religión, ni la política le otorgarán su ADN espiritual, ni le servirán de mediadores para ese encuentro.

Uno debe buscar la verdad fuera de los límites impuestos por las ideas preconcebidas y las teologías. El ayuno me trajo, cara a cara, con la persona que es la Verdad y la Vida, y el único camino hacia mi herencia espiritual, este es Jesús.

El ayuno es el único método de preparación para este tipo de encuentro espiritual. Jesús había ayunado 40 días con el fin de volver lleno del poder del Espíritu Santo tras vencer a satanás en el desierto. Las tentaciones que la mayoría de nosotros enfrentamos no son directamente con satanás. El diablo no pierde su tiempo con aquéllos que son incapaces de controlar sus deseos más básicos, como comer, para eso tiene sus ejércitos de demonios.

La única manera de amenazar al diablo y recibir atención del cielo, es dejando de alimentar tu cuerpo y tu mente con las cosas de este mundo.

La gran mayoría de las personas en las iglesias son presa fácil de la influencia demoníaca debido a que, o comen en exceso o consumen los alimentos equivocados. Los demonios se establecen en aquellos carentes de poder espiritual. **¡Alimenta tu espíritu y priva tu cuerpo de alimentos hasta que alcances la victoria sobre estas fuerzas!**

Si dejas de comer y comienzas a orar por alguien que no seas tú mismo, el infierno y el cielo prestarán atención porque reconocerán la frecuencia que resuena dentro de ti.

Y edificó Noé un altar a Jehová, y tomó de todo animal limpio y de toda ave limpia, y ofreció holocausto en el altar.

Y percibió Jehová olor grato; y dijo Jehová en su corazón: No volveré más a maldecir la tierra por causa del hombre; porque el intento del corazón del hombre es malo desde su juventud; ni volveré más a destruir todo ser viviente, como he hecho.

Génesis 8:20-21

Por medio de Noé, Dios hizo un pacto con toda la humanidad de no destruir de nuevo ni al hombre ni a la tierra y puso por señal el arcoíris. Éste anunciaba el nuevo pacto que haría por medio de Su Hijo, el cual traería la redención al hombre y la autoridad espiritual en el mundo físico.

Si Dios huele el sacrificio de nuestra carne como un dulce aroma quemándose en el altar del ayuno, intensificará la presencia del Espíritu Santo en nuestras vidas. El Ayuno Cuántico, el que nos conecta al mundo espiritual, es la herramienta que expone nuestra alma y nuestro espíritu a la mente de Cristo; entonces un olor y una frecuencia distinta serán creados en nuestros cuerpos.

Recuerda, el ayuno cuántico es aquella experiencia que uno logra más allá del sacrificio de la comida, y que se convierte en el vehículo para entender la naturaleza espiritual de Dios.

JESÚS, LA PALABRA VIVA

Yo sabía que Jesús había ayunado antes de comenzar a predicar el Reino, y eso me llevó a profundizar lo que Él dijo. Si Sus palabras son espíritu, yo necesitaba activar el mío para entenderlo. Determiné, entonces, que el ayuno sería una herramienta indispensable para lograrlo.

Las escrituras describen a hombres y mujeres cuyos ayunos, acompañados de oraciones, alteraron eventos y circunstancias durante sus vidas. Aquéllos que sacrificaron la comida por la presencia de Dios, cambiaron su mundo, por lo que me determiné a hacer lo mismo. Aún más, después de ayunar, mis experiencias con ángeles se hicieron más comunes.

Jesús demostró, con milagros, Su dominio sobre el mundo material. Él regresó del desierto después de ayunar durante 40 días, lo cual creo, preparó Su mente y Su cuerpo para Su posterior muerte y resurrección.

En mi opinión, el ayuno fue la piedra angular determinante para edificar en Él una consciencia de resurrección que vencería la muerte.

Entonces Jesús regresó a Galilea ***lleno del poder del Espíritu Santo****. Las noticias acerca de él corrieron rápidamente por toda la región.* *Lucas 4:14 NTV*

Jesús bebió agua mientras ayunaba, por lo cual la Biblia afirma *"Y después...tuvo hambre" (Lucas 4:2).* De acuerdo a las Escrituras, el diablo tentó a Jesús al sugerirle que convirtiese las piedras en pan. Sin embargo, pronto descubrió que Jesús prefería el *"maná"*, es decir, la palabra de Dios, en vez de la comida física.

Jesús, respondiéndole, dijo: Escrito está: "No sólo de pan vivirá el hombre, sino de toda palabra de Dios". *Lucas 4:4*

Jesús es la palabra Viva que representó también el maná en el desierto durante la época de Moisés. Esta asombrosa revelación de la Escritura, permanece oculta para aquéllos que no "*comen ni beben*" de Él.

Yo soy el pan vivo que descendió del cielo; *si alguien come de este pan, vivirá para siempre; y el pan que yo daré es mi carne, la cual yo daré por la vida del mundo.*
Entonces los judíos discutían entre sí, diciendo:
— ¿Cómo puede éste darnos ***a comer su carne?***
Jesús les dijo: —De cierto, de cierto os digo: Si no coméis la carne del Hijo del hombre y bebéis su sangre, ***no tenéis vida en***

vosotros. El que come mi carne y bebe mi sangre tiene vida eterna, y yo lo resucitaré en el día final,

Juan 6:51-54 RV 1995

Pon especial atención a las palabras de Jesús en el versículo 53: *"no tenéis vida en vosotros"*. En otras palabras, *"vida"* debe ser algo más que el aliento y el latir de un corazón. Por ende, alimentarse del cuerpo y sangre de Jesús, es el único sustento capaz de producir *"verdadera vida"*. Eso suena como un disparate hasta que entiendes la realidad del mundo espiritual, cuyo autor y maestro es Cristo.

En general, la religión, la sociedad, la educación y el *"sistema del mundo"* son el anti-Cristo, debido a que el padre de esa manera de pensar es satanás. La mentalidad del mundo visible es erigida por el orgullo y el egoísmo. En ese sentido, el mundo natural es un reflejo de la naturaleza de satanás, y ha sido reproducida a través de la historia de la humanidad comenzando con Adán.

Es esa manera de pensar que perpetúa el temor y la codicia. **El ayuno cuántico es el vehículo para llevarnos más allá de nuestros sentidos y explorar la naturaleza y la mente de Cristo desde el ámbito espiritual.**

Mi teología cambió una vez que entendí mi naturaleza espiritual. Dejó de ser una *"necesidad"* el que Jesús regresase en un cuerpo físico. Mis encuentros con Cristo en el ámbito espiritual, me proporcionaron el entendimiento del dominio del mundo invisible sobre el físico. **No obstante, a muchos de nosotros se nos enseñó a esperar una manifestación física para resolver un problema espiritual.**

Jesús les dijo: —De cierto, de cierto os digo: Si no coméis la carne del Hijo del hombre y bebéis su sangre, ***no tenéis vida en vosotros.*** *El que come mi carne y bebe mi sangre tiene vida eterna, y yo lo resucitaré en el* ***día final...***

Juan 6:53-54 RV 1995

El *"día final"*, mencionado en el versículo 54, se refiere a un periodo específico en nuestra vida , después de haber descubierto *"la Vida"* de la cual habla Jesús en el versículo 53. Por otro lado, aquéllos que caminan en esta tierra, aunque están físicamente vivos, espiritualmente están muertos conforme a las palabras de Jesús: *"no tenéis vida"*.

En su condición actual, nuestras mentes son incapaces de entender esto debido a años de enseñanzas erróneas, mezcladas con temores. **Hasta que cada uno de nosotros encuentre ese nacer de nuevo en Cristo, no podremos comprender a Cristo como la Palabra espiritual.** Las siguientes Escrituras no son solamente palabras plasmadas en papel, sino son el espejo para un auto-examen.

Le dijo Jesús: —Yo soy el que resucita a la gente y soy la vida misma; el que cree en mí, aunque esté muerto, vivirá.

Juan 11:25 RV 1995
(Traducción de la Biblia God's Word- Inglés)

El que ama su vida, la perderá; pero el que desprecia su vida en este mundo, obtendrá la vida eterna.

Juan 12:25 Castillián

Cada uno de los versículos anteriores, demuestra el poder que emana del Espíritu de Aquél que ya conquistó la muerte y eternamente permanece presto para cambiar tu futuro.

Uno de los mayores problemas que está impidiendo a la Iglesia entender las palabras de Cristo, es su afán por alimentarse de comida física, en vez de darse un banquete con el cuerpo y la sangre de Cristo.

El ayuno cuántico adiestrará al creyente a resistir la gratificación física, para obtener revelación espiritual. Si sacrificamos el alimento físico por Su Presencia, Él nos nutrirá con Su maná. Recordemos que los Israelitas fueron alimentados por la *"Palabra Viva"* aún antes de Su venida en la carne.

Y te acordarás de todo el camino por donde te ha traído Jehová tu Dios estos cuarenta años en el desierto, para afligirte, para probarte, para saber si habrías de guardar o no sus mandamientos, con todo tu corazón. Y te afligió, y te hizo tener hambre, y te sustentó con maná, comida que no conocías tú, ni tus padres la habían conocido, para hacerte saber que no sólo de pan vivirá el hombre, mas de todo lo que sale de la boca de Jehová vivirá el hombre. *Deuteronomio 8:2-3*

(Traducción de la Biblia God's Word-Inglés)

Jesús utilizó la palabra de la Ley para vencer al diablo en el desierto y, después de 40 días, pasó la prueba. Los Israelitas murieron en el desierto después de comer la Palabra, en la forma de maná, durante 40 años, ya que nunca permitieron que la *"Palabra"* los cambiase.

Examina esta escritura y permite que te impacte tal como lo hizo conmigo.

Porque también a nosotros se nos ha anunciado la buena nueva como a ellos; pero no les aprovechó el oír la palabra, por no ir acompañada de fe en los que la oyeron.

Hebreos 4:2

"Las Buenas Nuevas" (el evangelio) fueron predicadas en el Antiguo Testamento durante los tiempos de Moisés. El evangelio **Es Cristo**, ya sea en forma de maná ó de Jesús, el mensaje de Dios es el mismo. **Deja de comer del mundo material y come de la *"Palabra Viva"* para vivir libre del pecado, de enfermedad y de muerte.**

Los mensajes del evangelio que muchas personas escuchan estos días, carecen de poder debido a que han sido concebidos desde el mundo material. El verdadero mensaje del evangelio es espiritual, de la cabeza a los pies, porque consiste en la "Palabra Viva". Jesús fue la manifestación del mundo espiritual, quien cargó el ADN de Su Padre. **El poder sobre el mundo físico está escondido en el Invisible.**

PIEDRAS CONVERTIDAS EN PAN

Y vino a él el tentador, y le dijo: Si eres Hijo de Dios, di que estas piedras se conviertan en pan. *Mateo 4:3*

En este versículo, vemos cómo la pregunta del enemigo revela la naturaleza de la serpiente. Su objetivo fue corromper la mente de Jesús y contaminar Su sangre, lo que, eventualmente, evitaría que Él cumpliera Su propósito como nuestro redentor.

De esta manera, al sugerirle a Jesús que transformase las piedras en pan, le estaba diciendo, en otras palabras, *"rompe tu pacto con el Padre y sírveme"* (paráfrasis del autor). Jesús respondió a cada tentación del diablo con la Palabra escrita, siendo Él mismo *"La Palabra"*, la cual existe antes del Jardín de Edén, La Palabra fue, es y será la autoridad final sobre todo enemigo.

Yo soy el Alfa y la Omega, principio y fin, dice el Señor, el que es y que era y que ha de venir, el Todopoderoso. *Apocalipsis 1:8*

Ahora bien, satanás también apela a los sentidos para pervertir y corromper la mente del hombre con pensamientos de duda respecto a su relación con el Padre Celestial, tal como lo hizo con la mujer en el Génesis.

En las Escrituras, las piedras son usadas para representar un pacto. La primera casa de Dios, fue edificada sobre la piedra que Jacob utilizó como cabecera. Esto lo vemos también en las tablas de la ley hechas de piedra, que Dios dio a Moisés.

Y se levantó Jacob de mañana, y tomó la piedra que había puesto de cabecera, y la alzó por señal, y derramó aceite encima de ella.
Y esta piedra que he puesto por señal, será casa de Dios; y de todo lo que me dieres, el diezmo apartaré para ti.

Génesis 28:18, 22

Cuando yo subí al monte para recibir las tablas de piedra, las tablas del pacto que Jehová hizo con vosotros, estuve entonces en el monte cuarenta días y cuarenta noches, sin comer pan ni beber agua... *Deuteronomio 9:9*

Nuestras vidas son mucho más que comida o bebida, pero si no ayunamos y oramos, el enemigo nos manejará por medio de nuestro estómago. Un ejemplo de esto, se encuentra en la historia de Jacob y Esaú, cuando la comida provocó un rompimiento del pacto con Dios. El plan original de Dios, era darle una gran herencia, tanto espiritual como física, a todo hijo primogénito. Sin embargo en el caso de Isaac, su hijo mayor, Esaú, vendió su derecho de primogenitura por comida.

Dijo a Jacob: Te ruego que me des a comer de ese guiso rojo, pues estoy muy cansado. Por tanto fue llamado su nombre Edom.
Y Jacob respondió: Véndeme en este día tu primogenitura.
Entonces dijo Esaú: He aquí yo me voy a morir; ¿para qué, pues, me servirá la primogenitura?
Y dijo Jacob: Júramelo en este día. Y él le juró, y vendió a Jacob su primogenitura.
Entonces Jacob dio a Esaú pan y del guisado de las lentejas; y él comió y bebió, y se levantó y se fue. Así menospreció Esaú la primogenitura. Génesis 25:30-34

Como está escrito: A Jacob amé, mas a Esaú aborrecí.
Romanos 9:13

El diablo es un trasgresor, y aquellos que rompen sus pactos como él lo hizo, también lo son y, consecuentemente, pierden su derecho de primogenitura. **El pecado ha corrompido la línea sanguínea del hombre y Pablo lo deja claramente establecido en Romanos 3.**

Por cuanto todos pecaron, y están destituidos de la gloria de Dios,
Siendo justificados gratuitamente por su gracia, mediante la redención que es en Cristo Jesús,
A quien Dios puso como propiciación por medio de la fe en su sangre, para manifestar su justicia, a causa de haber pasado

por alto, en su paciencia, los pecados pasados,

Romanos 3:23-25

Hoy en día, muchos mensajes que escuchamos desde el púlpito se enfocan en las necesidades físicas de las ovejas, en lugar de la herencia espiritual dada a través de la cruz de Cristo. En mi opinión, esto es lo mismo que cambiar el derecho de primogenitura por un plato de lentejas; ésta es la razón por la cual mucha gente sufre enfermedades y dolencias.

Debemos entender lo siguiente, la victoria sobre el enemigo proviene del poder sobrenatural del Espíritu Santo manifestado a través de un genuino *"nacimiento espiritual"*. Cristo venció al diablo con un estómago vacío, y aquéllos que sigan Su ejemplo, vivirán ésta vida de triunfo en triunfo.

A través del ayuno, descubrí que esa vida comienza viviendo *"en"*, *"dentro de"* Jesús. Él habita en el Padre y, por ello, envió al Espíritu Santo para mostrarnos todas las cosas.

Mas el Consolador, el Espíritu Santo, al cual el Padre enviará en mi nombre, ***él os enseñará todas las cosas, y os recordará todas las cosas que os he dicho.*** *Juan 14:26*

Hubiese sido imposible para Jesús mostrarles la realidad espiritual a Sus discípulos en tanto que el Espíritu Santo no hubiese sido enviado, él era el lazo más importante entre Él mismo y Su Padre. La misma verdad es aplicable para hoy, ya que nuestra naturaleza física esta entrenada, desde el nacimiento, para responder a nuestros cinco sentidos. La única solución para romper esa atadura al mundo material es ayunando.

Mientras más tiempo pasaran con el Espíritu de la promesa, más rápido entenderían Sus palabras y propósitos en la carne. La realidad espiritual y Sus palabras mencionadas a continuación, son coherentes para aquéllos que están sumergidos en Su Espíritu.

En aquel día *vosotros conoceréis que yo estoy en mi Padre, y vosotros en mí, y yo en vosotros.* *Juan 14:20*

Ese día llegó a mí cuando entendí que El poder sobre el pecado, sobre la falta de perdón, la depresión, la influencia demoníaca, la enfermedad y la muerte, se encuentra dentro de la vida de resurrección de Cristo. Esto no es un cliché, sino que es la realidad de aquellos que no confían más en el mundo físico y lo demuestran a través del ayuno y la oración. Jesús nunca le dijo al enemigo que Él era el hijo de Dios, por el contrario, el diablo escuchó a Dios diciéndolo en el río Jordán.

Y Jesús, después que fue bautizado, subió luego del agua; y he aquí los cielos le fueron abiertos, y vio al Espíritu de Dios que descendía como paloma, y venía sobre él.
Y he aquí una voz de los cielos que decía: Este es mi Hijo amado, en el cual tengo contentamiento. *Mateo 3:16-17*

Satanás era el gobernador tanto del segundo cielo (realidad invisible), como de los cielos de este mundo (realidad visible) antes de la resurrección de Jesús. Pero cuando Dios anunció el sacerdocio de Su Hijo en el río Jordán, él supo que su imperio estaba llegando a su fin.

Volvieron los setenta con gozo, diciendo: Señor, aun los demonios se nos sujetan en tu nombre.
Y les dijo: Yo veía a Satanás caer del cielo como un rayo.

Lucas 10:17-18

Entonces oí una gran voz en el cielo, que decía: Ahora ha venido la salvación, el poder, y el reino de nuestro Dios, y la autoridad de su Cristo; porque ha sido lanzado fuera el acusador de nuestros hermanos, el que los acusaba delante de nuestro Dios día y noche. *Apocalipsis 12:10*

Cuando comienzas un estilo de vida de ayuno, tu comportamiento y tus creencias cambian de manera transcendental, y recibes una perspectiva totalmente diferente de Cristo y de Su sangre.s

La sangre es un elemento espiritual clave, ya que conecta los cielos y la tierra con nuestro creador. Dios diseñó el agua y la sangre como conductos para volver a Él. Estos elementos vivificantes contienen el ADN de nuestro Padre Celestial y, una vez que el Espíritu Santo nos santifica, nos muestra los misterios de Su Reino como lo analizaremos en el siguiente capítulo.

SECCIÓN IV

EL ESPÍRITU Y LA SANGRE

EL ESPÍRITU SANTO Y LA SANGRE

Una de las cosas más difíciles de entender es que nuestro mundo físico no es lo que aparenta. La física cuántica ha demostrado que la piedra angular de este mundo consiste en átomos, que son partículas prácticamente vacías.

De cerca, los átomos parecen nubes flotando en polvo electromagnético. El campo de energía alrededor de cada una de estas nubes está compuesto de un caparazón invisible de electrones. Estas nubes de átomos son espacios vacíos en el mundo material, pero colectivamente se atraen y se repelen unos a otros para así, aparentar ser una entidad sólida.

En otras palabras, el mundo material en el cual vivimos y que la ciencia ha estudiado, depende completamente de la percepción. Por lo tanto, la solidez de un objeto y la materia, en sí mismos, dependen de cómo se observen, no de las partículas que la componen.

En este sentido, ayunar ha sido la mayor herramienta para destruir mis ideas preconcebidas y percepciones formadas a raíz de las opiniones y teorías de otras personas.

La sección que estás por leer se entiende mejor una vez que has comenzado un estilo de vida de ayuno en el que, las ilusiones irreales de este mundo son expuestas y destruidas, mientras pasamos más tiempo en la presencia del Espíritu Santo. Antes de que Dios hablase para que el mundo material existiese, fue necesario posicionar al Espíritu Santo sobre las aguas. La Trinidad, Padre, Hijo y Espíritu Santo, trabajan en unidad tanto dentro como fuera del tiempo para, así, crear un orden.

En el principio creó Dios los cielos y la tierra.
Y la tierra estaba desordenada y vacía, y las tinieblas estaban sobre la faz del abismo, y el Espíritu de Dios se movía sobre la faz de las aguas. *Génesis 1:1-2*

Respondiendo el ángel, le dijo: El Espíritu Santo vendrá sobre ti, y el poder del Altísimo te cubrirá con su sombra; por lo cual también el Santo Ser que nacerá, será llamado Hijo de Dios.
Lucas 1:35

La misma posición era necesaria antes de que Jesús naciera a través de María. Imagina al Espíritu Santo suspendido sobre María de la misma manera que se movió sobres las aguas en Génesis. Dios habló por medio de Gabriel y Su Palabra viva se hizo carne.

Y aquel Verbo fue hecho carne, y habitó entre nosotros (y vimos su gloria, gloria como del unigénito del Padre), lleno de gracia y de verdad. *Juan 1:14*

Creo, que el Espíritu Santo implantó la sangre del Todopoderoso en el mundo físico a través del vientre de María. De esta forma, Jesús se convirtió en el "postrer" Adán, quien contenía la vida espiritual de la sangre del Padre, para dársela a todos los que se arrepintieran. Aquellos que creen que Jesús es sólo carne y sangre meramente terrenales, jamás entenderán Su herencia en la sangre o el verdadero propósito de Su venida física. Después que la lanza atravesó el corazón de Jesús, de éste salió agua y sangre, separadas entre sí; lo que significó que Jesús en su humanidad había muerto, pero el Dios-hombre resucitaría para redimir a los hombres. La sangre de Su Padre restableció Su Reino.

A Jesús el Mediador del nuevo pacto, y a la sangre rociada que habla mejor que la de Abel. *Hebreos 12:24*

Los misterios del universo permanecerán ocultos de las mentes de aquellos corazones que no han sido convertidos. Sin embargo, el Espíritu Santo ayuda a todos quienes ayunen, precisamente para que puedan entender los maravillosos secretos de Su Reino.

Si hay algo que Dios me ha revelado a través de ayuno, es mi ignorancia acerca de los principios más elementales de la vida, por lo que me quedé perplejo cuando descubrí que la mayoría de las cosas que había aprendido o que daba por hechas, eran incorrectas o por lo menos incompletas.

Ayunar es la llave para expandir, tanto el entendimiento físico, como el espiritual. Si bien los efectos fisiológicos de éste han sido científicamente comprobados, en el caso del mundo espiritual, necesitamos de la dirección del Espíritu Santo.

De esta manera, **el ayuno cuántico, es la forma de cambiar nuestras vánales especulaciones religiosas e imaginaciones en una relación significativa con Cristo.**

Este es Jesucristo, que vino mediante agua y sangre; no mediante agua solamente, sino mediante agua y sangre. Y el Espíritu es el que da testimonio; porque el Espíritu es la verdad.
Porque tres son los que dan testimonio en el cielo: el Padre, el Verbo y el ***Espíritu Santo;*** *y estos tres son uno.*
Y tres son los que dan testimonio en la tierra: el Espíritu, el agua y la ***sangre;*** *y estos tres concuerdan.* *1 Juan 5:6-8*

Al igual que Dios, el hombre es también un ser tripartito, es decir, espíritu, alma y cuerpo. Dios es el Señor de cada una de estas áreas y, como tal, provee el modelo perfecto en los cielos para que se manifieste en la tierra. Cuando comparamos la Trinidad en los cielos con los elementos de la tierra, vemos una interesante correlación. Dios el Padre, el Verbo y el Espíritu Santo manifiestan en la tierra, al Espíritu, al agua y a la sangre, respectivamente.

Jesús es *"el agua viva"* de Dios y el creador del mundo material. Creo que, estratégicamente, Juan conectó la dimensión espiritual y la física, con los componentes del agua y la sangre.

En mi libro "*Sumergidos en Él*", explico la conexión entre el agua natural y Jesús. Por otra parte, el verso 5 de la primera epístola de Juan, ilustra la unidad y el poder de la Trinidad para manifestar los cielos en la tierra.

En este sentido, vivir sumergidos en Cristo es el misterio que cambia nuestra percepción del futuro trayéndolo al presente. Lo que requiere beber de Cristo diariamente y, con ese mismo entusiasmo, ofrecerte para morir a este mundo.

Respondió Jesús y le dijo: Cualquiera que bebiere de esta agua, volverá a tener sed;
mas el que bebiere del agua que yo le daré, no tendrá sed jamás; sino que el agua que yo le daré será en él una fuente de agua que salte para vida eterna. *Juan 4:13-14*

10

LA SANGRE DEL PRIMER Y DEL ÚLTIMO ADÁN

Este es Jesucristo, que vino mediante agua y sangre; no mediante agua solamente, sino mediante agua y sangre. Y el Espíritu es el que da testimonio; porque el Espíritu es la verdad.
1 Juan 5:6

El plan de redención de Dios fue preparado y completado por Jesús antes de la fundación del mundo. Él fue hecho carne para venir a la tierra y redimir, con Su sangre, a la raza humana. En ese sentido, el enemigo no le teme a nadie que nazca del agua de este planeta, pero está aterrado de aquél que venga con el poder de la sangre regia de Dios a derrocar su reinado.

Dios le dijo a la serpiente, en el Jardín del Edén, que su cabeza sería herida.

Y pondré enemistad entre ti y la mujer, y entre tu simiente y la simiente suya; ésta te herirá en la cabeza, y tú le herirás en el calcañar. *Génesis 3:15*

Dios había puesto en Adán Su sangre redentora; pero el pecado la contaminó. De está sangre ya corrupta nació Caín el cual cometió el primer asesinato sobre su hermano Abel. Luego ocasionó, que todo sobre la faz de la tierra, fuese maldito y destruido por el agua, con excepción de Noé, su familia y los animales que iban en el arca.

Dios sabía que el universo que El había hecho sería destruido en tan solo diez generaciones después de la creación, debido al pecado del hombre y la contaminación de la sangre. El colmo se produjo cuando la lujuria y las imaginaciones perversas de los seres humanos se aliaron al segundo cielo y, como consecuencia los ángeles caídos se llegaron a las mujeres y éstas dieron a luz gigantes que poblaron la tierra.

Aconteció que cuando comenzaron los hombres a multiplicarse sobre la faz de la tierra, y les nacieron hijas,
que viendo los hijos de Dios que las hijas de los hombres eran hermosas, tomaron para sí mujeres, escogiendo entre todas.
Y dijo Jehová: No contenderá mi espíritu con el hombre para siempre, porque ciertamente él es carne; mas serán sus días ciento veinte años.
Había gigantes en la tierra en aquellos días, y también después que se llegaron los hijos de Dios a las hijas de los hombres, y les engendraron hijos. Estos fueron los valientes que desde la
Y vio Jehová que la maldad de los hombres era mucha en la tierra, y que todo designio de los pensamientos del corazón de ellos era de continuo solamente el mal.
Y se arrepintió Jehová de haber hecho hombre en la tierra, y le

dolió en su corazón. Y dijo Jehová: Raeré de sobre la faz de la tierra a los hombres que he creado, desde el hombre hasta la bestia, y hasta el reptil y las aves del cielo; pues me arrepiento de haberlos hecho. Pero Noé halló gracia ante los ojos de Jehová.

Génesis 6:1-8

Muy poco se sabe acerca de la tierra antes del diluvio, pero estoy seguro que el hombre tenía autoridad espiritual en el segundo cielo, ya que Adán caminaba con Dios. De hecho, creo que tenía la habilidad de vivir, simultáneamente, tanto en el mundo espiritual como en el material, así como Jesús lo hizo.

El pecado de Adán no sólo corrompió la sangre sino el ADN de toda la humanidad. El pecado, es un virus espiritual que destruye el alma y el cuerpo del hombre, cuya única cura es la transfusión de la sangre de Dios. Jesús aplastó la cabeza de satanás pero no antes que el diablo depositara su veneno de orgullo en la sangre de todos los descendientes de Adán.

Pero la serpiente era astuta, más que todas las ***bestias*** *del campo que Jehová Dios había hecho; la cual dijo a la mujer: ¿Conque Dios os ha dicho: No comáis de todo árbol del huerto?*

Génesis 3:1

Si bien Dios rescató al hombre de su errada elección, el pecado tuvo consecuencias, ya que satanás, tenía un derecho legal sobre el alma del hombre, debido al veneno o a la marca depositada en el ADN del ser humano.

Creo que ésta es la misma marca que se describe en el libro de Apocalipsis.

Fue el primero, y derramó su copa sobre la tierra, y vino ***una herida venenosa*** *sobre los hombres que tenían la marca de la bestia, y que adoraban su imagen.*

Apocalipsis 16:2
(traducción de la Biblia: Bible Basic English)

A partir de la caída, el hombre estaría obligado a elegir a quién servir. El veneno de la serpiente anestesió su espíritu y llenó su alma de pensamientos malignos. El ser humano, fue condenado a creer, únicamente, lo que detectaran sus sentidos, y a no tener más contacto con el mundo espiritual de Dios.

Entonces fueron abiertos los ojos de ambos, y conocieron que estaban desnudos; entonces cosieron hojas de higuera, y se hicieron delantales. *Génesis 3:7*

Sin embargo, Dios es fiel para todos quienes claman y cuando Adán eligió confesar su condición, Él lo perdonó. Dios sacrificó animales por la vida de él y su mujer, como un anticipo del poder de la sangre que sería requerida para la redención, hasta que Jesús se manifestará como el "cordero sin mancha".

Y Jehová Dios hizo al hombre y a su mujer túnicas de pieles, y los vistió. *Génesis 3:21*

El plan de Dios fue reproducir "Hijos" a través de Adán para que reinaran sobre la tierra, como lo hace Él en los cielos. Ese diseño fue completado por medio de Jesús, el postrer Adán.

Así también está escrito: Fue hecho el primer hombre Adán alma viviente; el postrer Adán, espíritu vivificante.
1 Corintios 15:45

Los estudiosos de la Biblia entienden que Dios usó a Abraham como parte de la línea sanguínea de quien nacería Jesús. De esa manera, Dios protegió, bendijo y multiplicó a los Israelitas, ya que había un pacto y un plan de redención para la raza humana. El objetivo del enemigo fue corromper con pecado la línea sanguínea de la cual provendría Cristo, para así, evitar que Dios redimiera al hombre.

Por lo tanto, nuestra sangre es el derecho legal que el enemigo usa para controlar nuestra vida y nuestros pensamientos. La única manera de regresar al Padre, es a través de la transfusión de sangre en la cruz de Cristo. Sin Su sangre, nuestra mente y pensamientos son controlados por el diablo.

Jesús nació como el Hijo del Hombre para retornar la sangre redentora de Dios al ser humano. El ADN del Padre, el cual fue corrompido por el pecado de Adán, retornaría con el "cordero sin mancha". Dios tuvo que sacrificar Su propio Hijo por el mismo propósito por el cual tuvo que matar animales para redimir el pecado de Adán.

La sangre justa y recta de Dios, entró en la tierra, por medio del cuerpo de Jesús y reabrió los cielos para el hombre. Pero Jesús no es sólo la fuente física de vida, sino también el puente para entrar en la realidad espiritual.

Él entendió el poder y el propósito del Espíritu Santo y reprendió a quienes no lo honraban. **El Espíritu Santo es el guardián de la sangre de Dios, que ofrece redención para los llamados.**

Ninguno puede venir a mí, si el Padre que me envió no le trajere; y yo le resucitaré en el día postrero. *Juan 6:44*

De cierto os digo que todos los pecados serán perdonados a los hijos de los hombres, y las blasfemias cualesquiera que sean; pero cualquiera que blasfeme contra el Espíritu Santo, no tiene jamás perdón, sino que es reo de juicio eterno.

Marcos 3:28-29

Jesús nunca se defendió a sí mismo, pero reprendía a todo aquel que hablase en contra del precioso Espíritu Santo y todos los que le conocen entienden el celo de Dios.

Después de que todos te dejan y te sientes sólo, el Espíritu Santo aún permanece junto a ti, soplando palabras de ánimo y amor en todo momento. Las profundidades de Su amor son inescrutables porque provienen del corazón del Padre. En mi caso, cada experiencia con Él, me ha mostrado algo nuevo acerca de Su corazón y de la creación. Cada encuentro ha alterado mi entendimiento de Sus caminos y diseños, dándome revelaciones aún más grandes, provenientes del interior de Su propio corazón.

El reino de Dios no es accesible a través de los sentidos físicos, pero es tangible y visible para los que aprenden ciertos principios y, para ello, nuestro espíritu debe estar vivo al Espíritu Santo, para así, entender esa realidad.

Una vez que ayunar te sea algo cotidiano, te vas a familiarizar con el Espíritu Santo, ya que cuando sientas que el infierno te está tragando, Su voz domará tus pensamientos y calmará tus emociones.

Dios sopló vida en la nariz de Adán para crear la vida en él. Está comprobado que respirar a través de la nariz oxigena la sangre 10 a 15 veces más que hacerlo por la boca. La ciencia es incapaz de descubrir el poder que activa la sangre, la cual, produce constantemente vida en nuestros cuerpos.

Creo que el Espíritu Santo fue la fuerza de la vida que El Padre sopló en Adán, de la misma manera, en que Jesús sopló el Espíritu en Sus discípulos cuando regresó después de destruir el reinado de satanás.

Y habiendo dicho esto, sopló, y les dijo: Recibid el Espíritu Santo. *Juan 20:22*

El aliento de Jesús fue lo mismo que activó al primer Adán y que ahora activa, el nuevo pacto en Su sangre. Este es ahora protegido por el Espíritu Santo, al igual que Su sangre para que nunca más sea contaminada; ya Jesús le aplastó la cabeza a la serpiente por medio de Su perfecto sacrificio y victoria sobre la muerte. Debo decir aquí, que el hombre aún posee, el derecho de elegir el pecado por sobre la justicia, pero nunca más su injusticia podrá contaminar la fuente redentora, formada en los cielos, a través del sacrificio de Cristo.

LA SANGRE Y LOS PENSAMIENTOS

Porque yo sé los pensamientos que tengo acerca de vosotros, dice Jehová, pensamientos de paz, y no de mal, para daros el fin que esperáis.
Jeremías 29:11

El origen de los pensamientos ha sido fuente de debate y estudio por siglos. La ciencia define pensamientos como todo lo ejecutado por el cerebro que abarca, desde energía, hasta reacciones químicas.

Pero la verdad se encuentra en la Biblia, ya que Dios es el autor de todas las cosas. Los pensamientos nacen de Dios y se originaron antes de la fundación del mundo. Dios nunca ha dejado de enviar pensamientos hacia Sus creaciones. Sin embargo, sabemos que Sus pensamientos son obstaculizados antes que el hombre los reciba, de otra manera, el mundo sería un lugar diferente. La siguiente escritura en Isaías, nos ayuda a entender la responsabilidad del hombre para obtener la misericordia de Dios.

Deje el impío su camino, y el hombre ***inicuo sus pensamientos,*** *y vuélvase a Jehová, el cual tendrá de él misericordia, y al Dios nuestro, el cual será amplio en perdonar.*
Porque mis pensamientos no son vuestros pensamientos, *ni vuestros caminos mis caminos, dijo Jehová.* *Isaías 55:7-8*

Conscientemente, debemos cambiar la manera en que pensamos y dirigir nuestro receptor hacia Dios. Es importante notar que el Señor no dice que el hombre no puede pensar como ÉL, sólo menciona que no lo puede hacer en su condición caída. El primer paso es arrepentirse, lo cual cambia nuestra forma de pensar.

El arrepentimiento no es un sentimiento o una emoción como de *"culpa"* por hacer algo incorrecto, sino que es una completa restructuración de nuestra mentalidad, siendo el Espíritu Santo, el único capaz de reconstruir nuestra mente.

Esa es precisamente la razón por la cual Jesús dijo *"ARREPIÉNTETE"*, porque el reino de los cielos está cerca. Arrepentirse, significa CAMBIAR LA MANERA EN QUE PENSAMOS, ya que nadie está capacitado para entrar en el reino de Dios con la misma mentalidad o con sangre corrupta, es por eso que debe haber un "nacer de nuevo".

Ni dirán: Helo aquí, o helo allí; porque he aquí ***el reino de Dios está entre vosotros.*** *Lucas 17:21*

El mundo espiritual opera diferente al natural. El Reino de Dios está alrededor nuestro, pero nuestra mentalidad y pensamientos, provenientes de la sangre de Adán, evitan que escuchemos y creamos en Jesús, como debiéramos. Sin embargo, aquellos que han nacido del Espíritu, poseen el ADN del Padre y todas las cosas son diferentes para ellos.

Yo reprendo y castigo a todos los que amo; sé, pues, celoso, ***y cambia tu forma de pensar para alejarte del pecado.*** *He aquí, yo estoy a la puerta y llamo; si alguno oye mi voz y abre la puerta, entraré a él, y cenaré con él, y él conmigo.*

Apocalipsis 3:19-20

(Traducción de la versión Contemporary English Version)

La sangre es la fuente de vida del hombre y se origina en los cielos, en el corazón de Dios. En mi opinión, el Espíritu Santo es la vida y es la sangre de Dios asignada para redimir a aquellos que son de Cristo. Además, la sangre, debido a su origen, no sólo provee vida física, sino también espiritual y, junto a la mente, trabaja formando ideas, imaginaciones y pensamientos. Si la mente no ha sido "renovada" a través de Cristo, los pensamientos producirán pecado, enfermedad y, eventualmente, muerte del cuerpo.

Y renovaos en el espíritu de vuestra mente...

Efesios 4:23

Pero el hombre natural no percibe las cosas que son del Espíritu de Dios, porque para él son locura, y no las puede entender, porque se han de discernir espiritualmente. En cambio el espiritual juzga todas las cosas; pero él no es juzgado de nadie. Porque ¿quién conoció la mente del Señor? ¿Quién le instruirá? Mas nosotros tenemos la mente de Cristo.

1 Corintios 2:14-16

Si un granjero siembra una buena semilla en un suelo bien regado, entonces, producirá una cosecha saludable. Si, por otro lado, el suelo no se prepara y no se protege de las malas hierbas y de los pájaros, la cosecha será destruida. De la misma manera opera la sangre, si ésta permanece fuera de la ley, debido a la transgresión de Adán, el suelo de nuestra mente no producirá buenos pensamientos. Aún más, los pensamientos formados del pecado, eventualmente, destruirán tanto el alma como al cuerpo.

Y él le dijo: ¿Qué has hecho? La voz de la sangre de tu hermano clama a mí desde la tierra. *Génesis 4:10*

A Jesús el Mediador del nuevo pacto, y a la sangre rociada que habla mejor que la de Abel. *Hebreos 12:24*

En otras palabras, **la sangre celestial tiene una frecuencia diferente de la sangre de aquellos que nunca se han arrepentido.** Nuestros pensamientos atraen, de forma magnética la vibración a la cual están sintonizados. De esta forma, el poder de Su sangre atrae la bondad y la vida eterna de Dios.

El bautismo del Espíritu Santo es más que hablar en lenguas, es la inmersión en la sangre de Cristo. El poder

de este acto, es el fuego que purifica nuestra sangre y que transforma nuestras mentes.

Yo a la verdad os bautizo en agua para arrepentimiento; pero el que viene tras mí, cuyo calzado yo no soy digno de llevar, es más poderoso que yo; ***él os bautizará en Espíritu Santo y fuego****.* *Mateo 3:11*

¿Estás empezando a recibir una profunda revelación del *"bautismo del Espíritu Santo"*? Uno de los aspectos más importantes de este bautismo, es que cambia nuestros pensamientos y la calidad de nuestra sangre. **De hecho, el ayuno es la manera más rápida de cambiar tu sangre para que seas llenado por la Suya.**

Por otro lado, si nuestro espíritu no está conectado con el Espíritu Santo, nuestros deseos provendrán de la carne. Creo que la comida, junto con el agua y el oxigeno, juegan un papel esencial en equipar nuestros cuerpos y mantener la calidad de nuestra sangre. El ayuno me ha mostrado muchas cosas acerca del cuerpo y su relación con los alimentos. Si queremos hacer del ayuno un modelo de vida, lo que comemos debe, necesariamente, cambiar.

A menos que nos sumerjamos en la sangre celestial a través de una transfusión divina, nuestras mentes no pensarán en las cosas del cielo. Tal vez te podrías *"sentir"* diferente, pero una mente que no cambia, eventualmente, controlará las emociones e impedirá el acceso al Espíritu Santo.

Aquellos que intentan cambiar sus pensamientos sin el bautismo y la experiencia de Cristo en el desierto, podrán obtener resultados temporales, pero no activarán los cambios eternos que el Espíritu Santo tiene para sus vidas.

La majestuosa sabiduría de Dios está cubierta de infinitas dimensiones que van cambiando, para provocar nuestra pasión por Él y destruir las ataduras con que las que enemigo controla nuestra mentalidad.

La presencia de Dios debe ser la búsqueda principal de nuestra vida, de otra forma, el enemigo continuará controlando nuestros pensamientos. Un ejemplo de esto es lo que vemos cuando alguien deja de ver pornografía o de consumir drogas por vergüenza religiosa. Lo más probable es que esa persona sea presa de otro comportamiento destructivo, debido a que no ha entendido la raíz que causa esos deseos.

A menos que nuestro espíritu y alma se sumerjan en el Espíritu Santo, nuestra sangre continuará afectando nuestros pensamientos. La mente que no ha sido redimida mantiene una puerta abierta para que sus emociones y deseos sean controlados por el enemigo. Si esta puerta no se cierra, el diablo usará esa mente, que no ha cambiado, para crear tibieza o doctrinas dogmáticas. Ejemplos de lo que estoy diciendo se encuentran a lo largo de la historia de la iglesia.

Cada vez que ha habido un mover de Dios, se han formado diferentes denominaciones. Cada una cree ser la única que tiene la revelación correcta de Cristo. Recuerdas cuando Juan le dijo a Jesús, *"vimos a alguien echando fuera demonios en tu nombre"*.

Juan le respondió diciendo: Maestro, hemos visto a uno que en tu nombre echaba fuera demonios, pero él no nos sigue; y se lo prohibimos, porque no nos seguía.

Marcos 9:38

Ellos querían detenerlo porque no era parte de *"su"* grupo. Esta es precisamente la razón por la cual el *"Cuerpo de Cristo"* requiere de la cabeza o la mente de Cristo para funcionar como uno solo.

El origen de nuestros pensamientos debe venir de la sangre de Cristo, si no es así, nuestros recuerdos y asociaciones con el pasado corromperán la victoria. La caída del hombre debería recordarnos que todos tenemos la posibilidad de decidir, finalmente, qué creemos o pensamos.

LO DEMONÍACO Y NUESTRA MANERA DE PENSAR

El que practica el pecado es del diablo; porque el diablo peca desde el principio. Para esto apareció el Hijo de Dios, para deshacer las obras del diablo. *1 Juan 3:8*

El que practica el pecado es del diablo, porque el diablo ha pecadodesde el principio. El Hijo de Dios se manifestó con este propósito: para destruirlas obras del diablo. *1 Juan 3:8*
(Nueva Biblia Latinoamericana)

Pero el que practica el pecado (el que practica el hacer lo malo) es del diablo,(forma su carácter a partir del maligno) porque el diablo ha estado pecando (violando la ley de Dios) desde el principio. Por esta razón el Hijo de Dios se manifestó (Se hizo visible) al mundo: para destruir (soltar y disolver) todo lo que hace el diablo. *1 Juan 3:8*
(Traducción de la Biblia Amplificada)

Cada una de estas traducciones habla de cómo Jesús destruyó las *"obras"* del enemigo cuando se manifestó en la carne. A menos que la Iglesia entienda lo que Juan quiso decir con estas palabras, siempre habrá una victoria limitada sobre el pecado. Cuando la gente peca es porque no ha entendidola tareaconsumada por Jesús.

El diablo usa el engaño y la duda para crear incredulidad dentro de las mentes y corazones de cada persona. Debemos entender que el poder sobre el pecado es espiritual, y no puede comprenderse desde una mente que no ha sido redimida. El pecado es la naturaleza de rebelión que se encuentra en el carácter del diablo, por lo que tu mente seguirá siendo engañada sino es lavada con la sangre de Cristo.

La hipnosis provocada por el enemigo sobre los habitantes de este mundo, es la *"obra"* que Jesús destruyó, generando el fin de la cautividad del hombre y tomando cautivo el miedo a la muerte. Sin embargo, si confías más en la voz del temor que en la fe, sin duda, serás un esclavo del pecado.

El poder del enemigo se expresa a través del temor. El diablo es un maestro ilusionista que altera las sombras y la luz para impartir miedo en las mentes y en los corazones de los que han sido traumatizados por algún episodio de la vida.

Ahora bien, en la vida, todos hemos experimentado situaciones difíciles que nos han asustado y han dejado una cicatriz. En una fracción de segundo, de vulnerabilidad, el diablo plantó una semilla de duda e incredulidad en nuestros corazones. Esa semilla se alimenta cada vez que experimentamos miedo o pensamos lo contrario a la bondad de Dios.

Cuando era niño, durante las vacaciones de verano, solía jugar en la calle hasta tarde en la noche. El juego más popular de la época era las escondidas. Aquel que lograba permanecer oculto por más tiempo, mientras los otros lo buscaban, se convertía en el ganador.

En una ocasión, nos escondimos en una casa de dos pisos que estaba vacía. Todos sabíamos que no era correcto estar adentro de esa casa, pero la tentación de entrar en un lugar prohibido era irresistible. Además, cuando eres niño,creesque siempre habrá una posibilidad de salirte de cualquier situación siempre y cuandono rompas nada. Nuestra imaginación se disparaba mientras explorábamos cada habitación de la casa. Finalmente cada uno encontró un lugar para esconderse y esperar a ser descubierto.

Después de haber estado escondido por un largo tiempo, decidí salir a mirar qué estaban haciendo los demás. Cuando abrí la puerta para mirar las escaleras, sentí que alguien tocó mi brazo, me di vuelta rápidamente y vi frente a mí una figura vestida de blanco, después me di cuenta que era uno de mis amigos el cual se había disfrazado.

No sabría cómo explicar lo asustado que estaba, el miedo me consumía, mientras mi corazón palpitaba rápidamente y mi mente creaba todo tipo de pensamientos horribles. Estaba tan asustado, que corrí lo más rápido posible hasta que escuché a mis amigos reírse de mi. Lo que parecía una inocente broma, abrió mi corazón y mente a lo que llamo semillas espirituales de temor, las cuales son el veneno y provienen de la bestia del Jardín del Edén. El miedo produce una atmósfera de temor e incredulidad, que es tierra fértil para que prospere toda semilla de mentira y sugestión.

En el instante en que el miedo se apodera del corazón, el enemigo controla nuestros pensamientos a través del pánico. Sin importar la situación, la mente siempre se enfocará en lo negativo, como resultado del temor. De hecho, el objetivo del enemigo es crear una fuente perpetua de duda e incredulidad dentro de los corazones y las mentes de la genteque se activapor el miedo. Cada vez que él derrota a alguien, aterrándolo e intimidándolo, crea un enlace o conexión instantánea en la cabeza de cada persona que se activará en el futuro.

El pánico a lo desconocido y el terror en una persona son simples activaciones de enlaces o imágenes provenientes de un trauma. Una vez que éstas son activadas, controlarán el comportamiento del individuo.

En esencia, la mayoría de la gente es manipulada con imágenes de traumas pasados, originados por el medio. Por ejemplo, el dolor del divorcio genera serios problemas entre hombres y mujeres para futuras relaciones.Esto se debe a que, en muchos casos, construimos paredes de resentimiento y desconfianza a partir del dolor. Consecuentemente, los obstáculos se transforman en monumentos al miedo, la duda y la desconfianza que, a su vez, se convierten en sitios para la elaboración de futuras imágenes relacionadas con dolor y sufrimiento. Si hemos experimentado dolor, nuestra mente guarda esas imágenes y las revive como si hubiesen ocurrido recientemente.

El comportamiento humano es más sencillo de manipular cuando una persona es egoísta. Elcarácter de una persona debe basarse en leyes de justicia, de otra manera, estará predispuesta al engaño.

Muchas veces hemos escuchado o leído las historias de cristianos que, en *"momentos de debilidad"*, han cometido horribles pecados yhan destruido sus ministerios y familias. La mayoría de éstos, son el resultado de pensamientos que provienen de deseos, principalmente enfocados en uno mismo. Por otro lado, si nuestras mentes no se familiarizan con el mundo espiritual, abriremos puertas a espíritus inmundos.

Al contrario, uno es tentado por sus propios malos deseos, que lo atraen y lo seducen.
De estos malos deseos nace el pecado; y del pecado, cuando llega a su completo desarrollo, nace la muerte. *Santiago 1:14-15*

Es un hecho que la influencia demoníaca comienza en forma de pensamientos hasta que nos rendirnos a sus sugerencias; además las ideas egoístas y pecaminosas, dana espíritus inmundos el derecho legal para entrar en una persona. Algunas iglesias evitan o niegan los ministerios de liberación, precisamente, por el miedo de que su gente empeore. Esa posición puede generarse por la falta de entendimiento descrita en Lucas 11:26.

Veamos esa escritura:

Cuando el espíritu inmundo sale del hombre, anda por lugares secos, buscando reposo; y no hallándolo, dice: Volveré a mi casa de donde salí. Y cuando llega, la halla barrida y adornada. Entonces va, y toma otros siete espíritus peores que él; y entrados, moran allí; y el postrer estado de aquel hombre viene a ser peor que el primero. *Lucas 11:24-26*

Cuando un espíritu maligno sale de un individuo, recibe el mismo tormento que una persona sin Dios; ya que se le priva de la fuente de vida que lo alimenta. El espíritu del hombre es el proveedor de vida del ser humano y, como tal, provee de vida aún a los demonios que puedan estar dentro de él.

El entendimiento del mundo espiritual es esencial y es la promesa de aquellos que verdaderamente nacen del *"agua"* y del Espíritu de Dios. Las palabras que Jesús habló a Nicodemo en Juan 3 no son términos simbólicos.

Respondió Jesús: De cierto, de cierto te digo, que el que no naciere de agua y del Espíritu, no puede entrar en el reino de Dios. *Juan 3:5*

El reino de Dios es el poder y la autoridad sobre todas las

criaturas, tanto en el mundo invisible comoen el visible. Si bien, los ángeles y los demonios residen fuera de este universo material, los espíritus inmundos requieren de un cuerpo físico para sobrevivir. Los ángeles, en cambio, están sustentados por la gloria de Dios y son enviados a los santos, elegidos antes de la fundación de la tierra.

Aproximadamente, el 70% del hombre es agua, y esto se debe a que Jesús es el *"agua viviente"*, tanto en lo espiritual como en lo físico; y es por esto que TODAS las cosas subsisten a través de Jesús.

Y él es antes de todas las cosas, y todas las cosas en él subsisten. *Colosenses 1:17*

Una vez que un espíritu inmundo es sacado del cuerpo de una persona, éste buscará agua, desesperadamente, en otra forma física. Su manifestación requiere del agua de este mundo en forma humana. Esta combinación de agua y Espíritu, es la fuente de todas las cosas.

El enemigo y su reino saben que Jesús es el origen y la fuente de toda vida, pero su traición lo ha cegado eternamente. Ellos existen gracias a la voluntad de Dios y hacen lo que el Señor les permite. Los espíritus inmundos andan por lugares secos, buscando reposo, pero no entienden que éste, sólo se encuentra en Cristo.

La esperanza devida del hombre aquí en la tierra es

limitada, por lo que los espíritus inmundos deben contaminar la línea sanguínea de una familia completa para poder seguir subsistiendo. A esto se le llama comúnmente *"maldiciones generacionales"*. Es muy común escuchar en reuniones familiares historias desoladoras de muertes súbitas, enfermedad, adulterio, suicidios, etc. Muchos de nosotros estamos familiarizados con situaciones que afectan a nuestras familias como drogadicción, abuso sexual, cáncer o problemas cardiacos. Éstos son claros indicios de espíritus inmundos usando a nuestros familiares de generación en generación. Una de las claves para mantener nuestra libertad de estas influencias demoníacas se encuentra en las siguientes escrituras:

Mientras él decía estas cosas, una mujer de entre la multitud levantó la voz y le dijo: Bienaventurado el vientre que te trajo, y los senos que mamaste.
Y él dijo: Antes bienaventurados los que oyen la palabra de Dios, y la guardan. *Lucas 11:27-28*

Después de que una persona es liberada de la influencia demoníaca, ya sea de una adicción o una enfermedad, ésta ha conquistado el poder sobre dicha situación. Por ejemplo, los que toman medicamentos o drogas recetadas son muy obedientes con las instrucciones dadas por el doctor. De la misma manera, aquellos que son sanos por el *"Doctor"* Jesús, deben seguir Sus instrucciones, las cuales provienen de Su Espíritu.

Lamentablemente, la mayoría de la gente desconoce que la enfermedad, la adicción a las drogas y la opresión, son cosas espirituales que requieren del Espíritu Santo para que una persona sea liberada. En sus cartas, Pablo nos deja en claro la necesidad de depender del Espíritu de Dios.

Porque todos los que son guiados por el Espíritu de Dios, éstos son hijos de Dios. *Romanos 8:14*

Pero si sois guiados por el Espíritu, no estáis bajo la ley.
Gálatas 5:18

Si vivimos por el Espíritu, andemos también por el Espíritu.
Gálatas 5:25

Es muy interesante ver que aún los espíritus inmundos entienden que hay diferentes grados de maldad. Recuerda, la escritura dice, Entonces va, y toma otros siete espíritus peores que él.

La diferencia entre nuestra existencia en el mundo invisible y el visible,es que este último requiere un cuerpo físico. El alma representa la suma total de la vida de una persona mientras vive en esta realidad. En otras palabras, si el alma no se rinde al Espíritu de Dios, la persona seguirá las ideas o creencias provenientes de sus sentidos. Por consiguiente, lo que el alma cree no se altera cuando parte a la eternidad dejando su cuerpo físico. Lo único que cambiará será la ubicación a donde se dirija después de la muerte.

Y no temáis a los que matan el cuerpo, mas el alma no pueden matar; temed más bien a aquel que puede destruir el alma y el cuerpo en el infierno. *Mateo 10:28*

Y el polvo vuelva a la tierra, como era, y el espíritu vuelva a Dios que lo dio. *Eclesiastés 12:7*

Estos versículos indican que Dios es el lugar final de descanso para el espíritu del hombre, y que la tierra lo es para el cuerpo. Sin embargo, el hogar definitivo del alma está determinado por las decisiones que cada persona tome mientras viva en esta tierra. Para ganar esta batalla, el alma debe rendirse al Espíritu Santo, de otra forma, el enemigo controlará tu mente con dudas, incredulidad y emociones.

La mente cree mentiras y forma su realidad desde esa posición, por lo que, si no cambiamos la manera en que pensamos, viviremos eternamente en tinieblas.

Es interesante mencionar que aquellos cuyas mentes están llenas de tinieblas, atraerán a otros de características similares. La realidad demoníaca es una atmósfera de caos y temor, creada por el pensamiento equivocado. Los que entretienen este tipo de pensamientos seguirán eternamente atormentados por ellos y por los demonios que los sustentan, aún después de la muerte. Dios eventualmente es quien determina el grado de ese tormento.

Por otro lado, el amor altera nuestros pensamientos exponiendo nuestras mentes a la luz. Jesús es la fuente de toda luz, amor y salvación; además el amor exponeal enemigo e ilumina la oscuridad. En la luz, el miedo no tiene sustancia.

En el amor no hay temor, sino que el perfecto amor echa fuera el temor; porque el temor lleva en sí castigo. De donde el que teme, no ha sido perfeccionado en el amor. *1 Juan 4:18*

Otra vez Jesús les habló, diciendo: Yo soy la luz del mundo; el que me sigue, no andará en tinieblas, sino que tendrá la luz de la vida. *Juan 8:12*

Aquí vemos a Jesús hablando de las diferencias entre el mundo visible e invisible y las dimensiones espirituales. Está muy claro que la mayoría de la gente vive con áreas que están todavía en oscuridad. Sin bien la vida fue creada en la luz de Dios, el pecado la corrompió con pensamientos distorsionados e impuros, comparables a los filtros que usan los camarógrafos para cambiar la calidad de la luz en una toma. Los personajes y el lugar no cambia, pero sí la apariencia de la escena que fue alterada por la iluminación.

La fuente y la frecuencia de la luz manejan la pureza de nuestros pensamientos, los que son una especie de lentes reguladores de la mente. Cristo es la luz de la vida, pero nuestra mente está corrupta por las ideas incorrectas que generan el miedo y que hace que vivamos en tinieblas.

Pero si tu ojo es maligno, todo tu cuerpo estará en tinieblas. Así que, si la luz que en ti hay es tinieblas, ¿cuántas no serán las mismas tinieblas? *Mateo 6:23*

El precioso Espíritu Santo está continuamente orquestando eventos en el mundo natural sólo para despertarnos a la gracia y misericordia de Dios. **Creo que la gracia es una fuerza espiritual que absorbe las tinieblas lo suficiente para que nuestro espíritu experimente la Luz de Cristo. Cuando reconocemos este evento, nuestro espíritu se abre para recibir aún más gracia.**

Porque por gracia sois salvos por medio de la fe; y esto no de vosotros, pues es don de Dios. *Efesios 2:8*

No os dejéis llevar de doctrinas diversas y extrañas; porque buena cosa es afirmar el corazón con la gracia, no con viandas, que nunca aprovecharon a los que se han ocupado de ellas.
Hebreos 13:9

La obra de Cristo cumplió la ley, permitiendo que la gracia suavizara nuestros corazones y mentes para recibir la Verdad en la persona de Jesús. Hoy, Él vive en los corazones y mentes de quienes eligen al Espíritu Santo y el ámbito invisible de Su presencia para hacerlos su realidad, por sobre lo físico. **Aquellos que viven para seguir a Jesús en el mundo natural, vivirán en la realidad invisible de Dios eternamente.**

Pues la ley por medio de Moisés fue dada, pero la gracia y la verdad vinieron por medio de Jesucristo. *Juan 1:17*

El que ama su vida, la perderá; y el que aborrece su vida en este mundo, para vida eterna la guardará. *Juan 12:25*

SECCIÓN V

EL ALMA

EL ALMA

El ayuno cuántico produce extraordinarios resultados en nuestra alma, por lo que el enemigo peleará desesperadamente para evitar que el Cuerpo de Cristo participe de esta victoria. En lo personal, cuando el ayuno se convirtió en mi forma de vida, mis pensamientos y mi salud dieron un salto cuántico de revelación divina y salud.

Esto me dio el poder para dominar mi alma, y entrenarla a no someterse a las dudas e incredulidad provenientes del enemigo. El ayuno, como herramienta espiritual, destruye las fortalezas creadas por el miedo, para que así puedas arrebatar el derecho de primogenitura para ti y tu familia, que Dios prometió en el Génesis.

Entonces dijo Dios: Hagamos ***al hombre a nuestra imagen, conforme a nuestra semejanza;*** *y señoree en los peces del mar, en las aves de los cielos, en las bestias, en toda la tierra, y en todo animal que se arrastra sobre la tierra.*

Génesis 1:26

Dios hizo al hombre de acuerdo a su propia imagen, proveyéndole de un alma que lo diferenciara de los animales y de los ángeles. El alma es el instrumento designado para trabajar en conjunto con el espíritu y así, manifestar el cielo en la tierra.

Jesús es el perfecto ejemplo de un alma sometida completamente al Espíritu Santo. Debido a su obediencia, es que el Reino de Dios fue manifestado en todo lugar donde Él estuvo. Por lo tanto, si quieres tener dominio sobre todo cuanto existe sobre la faz de la tierra, necesitas un entendimiento de reino. El poder para gobernar que ejercemos en la tierra eventualmente será extendido hasta los cielos.

¿O no sabéis que hemos de juzgar a los ángeles? ¿Cuánto más las cosas de esta vida?
Si, pues, tenéis juicios sobre cosas de esta vida, ¿ponéis para juzgar a los que son de menor estima en la iglesia?

1 Corintios 6:3-4

El alma fue diseñada para gobernar y juzgar en todo el mundo, pero cuando no está conectada con el Creador, vemos como resultado la condición del mundo actual. El hombre en vez de gobernar sobre ángeles y universos, está más preocupado persiguiendo las cosas materiales, las cuales no tienen valor eterno.

La sangre de Cristo es el único recurso que tiene el alma para convertirse a Dios y unir el espíritu del hombre con el del Creador, y es la única conexión que transformará nuestra mente.

Este es Jesucristo, que vino mediante agua y sangre; no mediante agua solamente, sino mediante agua y sangre. Y el Espíritu es el que da testimonio; porque el Espíritu es la verdad.

1 Juan 5:6

Jesús no sólo fue el Hijo de Dios, sino también el Hijo del Hombre. Es muy importante que comprendamos lo que esto significa, ya que ésta fue la manera en que Su sacrificio sin pecado, pudo ser contado como justo para todos los seres humanos.

La sangre que Él derramó para nuestra redención, fue la de Su Padre y en ella estaba el Espíritu Santo; y el agua representaba el componente básico de toda vida material, incluyendo a la humanidad. Estos dos elementos son la clave para los que desean experimentar las profundidades del Reino invisible de Dios, manifestado a través del ayuno cuántico. El enemigo tiene miedo de aquellos que han nacido del agua y del espíritu a través de Su sangre, ya que son los herederos de Dios.

Analicemos ahora nuestra alma. Los sentidos, el intelecto, las emociones y las creencias están localizados en ella, y nos capacitan para experimentar las maravillas de Dios en ambas realidades. Así, el gobierno del hombre reside en el alma, la cual se ejercita cada vez que tomamos decisiones. El Señor diseñó nuestra alma para gobernar, tanto el mundo visible, como el invisible, empezando por los pensamientos. La decisión final entre confiar en Dios o en nosotros mismos es la que determina la morada eterna del alma.

¿No crees que yo soy en el Padre, y el Padre en mí? Las palabras que yo os hablo, no las hablo por mi propia cuenta, sino que el Padre que mora en mí, él hace las obras.
Creedme que yo soy en el Padre, y el Padre en mí; de otra manera, creedme por las mismas obras.
De cierto, de cierto os digo: El que en mí cree, las obras que yo hago, él las hará también; y aun mayores hará, porque yo voy al Padre.
Juan 14:10-12

Jesús le preguntó a Felipe si creía en Él, y es también la pregunta que toda alma debe contestarse. El Padre era invisible para sus discípulos, pero moraba en el interior de Jesús y es lo que Jesús quería que ellos viesen.

He aquí, un ejemplo de su poderosa verdad: Los astronautas usan trajes especiales cuando caminan por el espacio para así protegerse y tener oxígeno. Pero si tuvieran que rescatar a alguien, ¿dependería del traje o del hombre dentro de él? Sin duda que la persona sería el héroe, pero esta acción requeriría del equipo de protección.

Jesús le estaba diciendo a Felipe que confiara en la persona invisible dentro de Él, ya que Él es la fuente de la vida y de cada milagro. Él era el cuerpo y el alma de Su Padre, quien hacía toda la obra. La confianza y conocimiento que tenemos del Padre están determinados por la información procesada por nuestra mente y alma la cual forma nuestro sistema de creencias.

En este sentido, el medio ambiente ejerce una gran

influencia en las creencias de un individuo. Por ejemplo, el sistema de creencias de alguien que sólo ve televisión y escucha las noticias será, muy diferente al de aquél que ora y ayuna. Luego, si es el mundo visible es el factor que está determinando las creencias de alguien, esa persona jamás hará las grandes obras de las que Jesús estaba hablándole a Felipe.

Los científicos cuánticos afirman lo que Salomón dijo, por medio del Espíritu Santo, cientos de años atrás. Nuestros corazones hacen real aquello en lo que pensamos continuamente y, de la misma manera, la fuente de nuestros pensamientos, produce la vida que llevamos.

Porque cual es su pensamiento en su corazón, tal es él.

Proverbios 23:7

Pues como él piensa en su interior, así es él (TM).

Proverbios 23:7
(Nueva Versión Internacional)

El ayuno cuántico abre las puertas de los cielos, permitiendo que el espíritu del hombre tome control sobre su alma y cuerpo. Personalmente, ésta es la herramienta más poderosa que he descubierto para cambiar la manera en que pienso y, sin duda alguna, éste es el primer paso para alterar nuestras creencias y exponer nuestras mentes a las infinitas posibilidades que tenemos EN CRISTO.

Ciertamente, la palabra de Dios es viva y poderosa, y más

cortante que cualquier espada de dos filos. Penetra hasta lo más profundo del alma y del espíritu, hasta la médula de los huesos, y juzga los pensamientos y las intenciones del corazón.

Hebreos 4:12

Jesús dijo, *"todo es posible para el que cree"*, y Él fue, es y será, el Amo y Señor de todas las cosas. ¡Piensa en eso! Todo lo que existe, existió o ha de ser, fue completado EN CRISTO. Lo interesante de esto, es que el alma tiene la habilidad para entender la realidad de este versículo y experimentar el gozo de *"conocer"* al autor de todas las cosas, Cristo Jesús.

Sin embargo, nuestra alma tiene un velo de oscuridad que le fue puesto al momento de nacer y, a menos que nuestra conciencia sea despertada a Dios, nuestra alma formará su realidad a partir de este mundo. Las tinieblas son pecado, y su sustancia produce una mentalidad corrupta, por lo que, una vez que el pecado es removido a través del arrepentimiento, experimentarás el amor, que no es otra cosa que la frecuencia del cielo.

Como dijimos anteriormente, **el corazón del hombre unido con la Fuente del amor, puede cambiar el mundo material y alterar nuestras percepciones y la forma en que pensamos. El ayuno es la manera más efectiva para lograr esta transformación.**

Los que comiencen a ayunar, muy pronto experimentarán un nuevo entendimiento de las escrituras y del propósito de Dios para sus vidas el cual fue creado antes de la fundación del mundo. Dios es el Padre de todos los espíritus y, en mi opinión, uno de los objetivos del Espíritu Santo es, precisamente, recordarle a cada espíritu su origen en Dios, antes de que fuese un alma viviente.

Si estás leyendo este libro, es que seguramente tu espíritu está añorando la relación que tuvo con El Padre, antes que el mundo fuese. Creo que al Espíritu Santo le fue asignada la tarea de cumplir ese deseo en ti. El jamás te forzará, pero te ama tanto que usará todo método posible para alcanzarte. El Espíritu Santo fue enviado para recordarnos la realidad del mundo invisible, por medio de La Palabra. Ésta es Jesús, quien es el autor de las dimensiones visible e invisible.

Dios es Espíritu y La Palabra que Él habló en Génesis contiene todo lo que fue, es y será. Algunas veces el Espíritu Santo me revela durante mis ayunos, la relación que existe entre mi alma y mi cuerpo.

En otra ocasión, vi el Arca del Testimonio en los cielos y su propiciatorio a la mano derecha del Padre. Entonces, el Espíritu me reveló que Jesús mismo es el propiciatorio y Su sangre es el poder, cuya fuente es el amor.

13

EL PROPICIATORIO DEL ARCA

El Arca del Pacto fue construida de madera, cubierta en oro, y fue habitada por Dios y Su palabra. Ésta es la representación en el Antiguo Pacto, de Cristo en nosotros, la esperanza de gloria.

Jesús es Dios y la Palabra fue hecha carne. Él tenía que hacerse hombre para convertirse en la propiciación por nuestros pecados. Así como el arca, nosotros fuimos creados para llevar el poder sobrenatural de Dios donde quiera que vayamos.

Y pondrás en el arca el testimonio que yo te daré.
Y harás un propiciatorio de oro fino, cuya longitud será de dos codos y medio, y su anchura de codo y medio.

Éxodo 25:16-17

El Hijo del Hombre sufrió una de las muertes más terribles, por manos de aquellos que profetizaron Su venida y salvación. En todo el universo, este sacrificio es inigualable pero es, a su vez, lo que le otorgó a Jesús toda autoridad sobre el pecado, la enfermedad y la muerte. Cuando comencé a ayunar por largos periodos, el Espíritu Santo me reveló el propiciatorio del Arca. Me mostró una visión fuera del tiempo y del espacio, porque fue así que se la dio Moisés.

Él fue elegido para implementar la visión que Dios le dio durante sus dos etapas consecutivas de cuarenta días sin comida ni agua. En ese momento, el Señor le mostró, entre otras cosas, el arca con el propiciatorio. Dios no podía confiar esa visión a ninguno que no hubiese muerto a este mundo. Sin lugar a dudas, el ayuno es la manera de demostrar tu desarraigo de esta tierra.

Dios le dio a Moisés la responsabilidad de construir una manifestación física del mundo invisible. El Tabernáculo, junto a todas las ordenanzas de la ley, fueron sombra y figura del plan redentor de Dios. Todo, desde la tienda hasta el candelabros, y demás muebles y utensilios, fue una representación física de Cristo y Su redención.

Jesús mismo es el propiciatorio y el testimonio de la vida que venció la muerte, por medio del sacrificio de Su sangre.

A quien Dios puso como propiciación por medio de la fe en su sangre, para manifestar su justicia, a causa de haber pasado por alto, en su paciencia, los pecados pasados.

Romanos 3:25

Dios ofreció a Jesucristo, para que por su sangre, fuese el medio en que los pecados de la gente fuesen perdonados, a través de la fe en Él. Con esto Dios demuestra que es justo. En otros tiempos el tenía paciencia y pasaba por alto el pecado, pero en este tiempo el trata con el pecado para demostrar Su rectitud.

Romanos 3:25-26
(Traducción de la Biblia en Inglés TEV Today´s English Version).

La obra de Cristo está descrita en el libro de Éxodo a través de la descripción y el diseño del arca. Es esencial que entendamos que los guardianes sobre ésta, son los mismos que se colocaron a la entrada del Jardín del Edén para evitar que el hombre viviera eternamente en su condición caída.

Y dijo Jehová Dios: He aquí el hombre es como uno de nosotros, sabiendo el bien y el mal; ahora, pues, que no alargue su mano, y tome también del árbol de la vida, y coma, y viva para siempre.
Y lo sacó Jehová del huerto del Edén, para que labrase la tierra de que fue tomado.
Echó, pues, fuera al hombre, ***y puso al oriente del huerto de Edén querubines,*** *y una espada encendida que se revolvía por todos lados, para guardar el camino del árbol de la vida.*

Génesis 3:22-24

Y a Moisés le dijo:

Harás también dos querubines de oro; labrados a martillo los harás en los dos extremos del propiciatorio.
Harás, pues, un querubín en un extremo, y un querubín en el otro extremo; de una pieza con el propiciatorio harás los querubines

en sus dos extremos.
Y los querubines extenderán por encima las alas, cubriendo con sus alas el propiciatorio; sus rostros el uno enfrente del otro, mirando al propiciatorio los rostros de los querubines.
Éxodo 25:18-20

Los mismos querubines designados para evitar que el hombre volviera al Jardín del Edén, fueron comisionados para llevarle ahora delante de la presencia de Dios. Ellos se encuentran sobre el propiciatorio para regocijarse con aquellos que ofrecen sus vidas a Cristo. Es en los cielos donde encontramos la forma más elevada de adorar y celebrar con los ejércitos celestiales.

Así os digo que hay gozo delante de los ángeles de Dios por un pecador que se arrepiente. *Lucas 15:10*

El Propiciatorio es el lugar de transparencia y de rendición de nuestra voluntad. Es donde se ponía la sangre del sacrificio y el lugar de expiación, lo que para los judíos significa, ayuno y arrepentimiento.

Los niveles de sacrificio de nuestra alma determinan la calidad y el aroma de nuestra adoración. A mayor sacrificio, más dulce es la fragancia y el bálsamo en los cielos. Creo que el perfume del sacrificio de Noé fue parte importante del pacto eterno que Dios hizo con la tierra y el hombre.

Y percibió Jehová olor grato; y dijo Jehová en su corazón: No volveré más a maldecir la tierra por causa del hombre; porque

el intento del corazón del hombre es malo desde su juventud; ***ni volveré más a destruir todo ser viviente, como he hecho.***
Génesis 8:21

Dios diseñó nuestro cuerpo como un perfecto contenedor para que Su Espíritu resida en nosotros y convierta nuestras almas en instrumentos celestiales de adoración. **De hecho, la adoración altera el mundo físico y cambia las percepciones de la realidad, de acuerdo a nuestra revelación de Cristo.**

Cada uno de nosotros debe tener un encuentro personal con Jesús y, para conocerlo, debes pasar de la muerte a la vida. Para mí, este evento ocurrió después de ayunar cuarenta días. Dios, en su infinita sabiduría, designó un lugar personal para que el hombre se reuniera con Él fuera de las paredes de una iglesia, sinagoga o templo.

Ayunar, fue la herramienta que usé para prepararme para esta experiencia, la que ocurrió en la eternidad, en el propiciatorio eterno, donde Él me enseñó cómo adorarlo. Durante ese tiempo, el Espíritu Santo me adiestró en Su frecuencia celestial y en cómo suena el sonido del amor para Dios.

Los ángeles son movidos con el latir de Su corazón y con el sonido de Sus pensamientos. No hay nada en la tierra que se compare a las frecuencias que mi alma experimenta en los cielos cuando le adoro.

El poder sobre la muerte es la melodía de la sangre de Dios que resuena desde el Propiciatorio, el cual aterroriza al diablo y libera a los cautivos. La música celestial es la vida resucitada en la sangre de Jesús, que resuena es las regiones más lejanas del universo.

Aquellos que ayunan, entienden la adoración desde otra perspectiva, convirtiéndose en los instrumentos de resurrección que Dios tiene en la tierra.

ODRES VIEJOS

La palabra ayunar viene del hebreo *"tsoom"*, y significa cubrir o cerrar la boca; sin embargo Moisés no usó esta palabra ni en Éxodo ni en Levítico, sino que utilizó *"anah"*, cuya raíz significa *afligido, arrodillado, humillado, manso o sumiso.* Quizás, esto nos dé algo de luz del por qué Moisés fue considerado por Dios el hombre más manso y humilde de la tierra.

Entonces vinieron a él los discípulos de Juan, diciendo: ¿Por qué nosotros y los fariseos ayunamos muchas veces, y tus discípulos no ayunan?
Jesús les dijo: ¿Acaso pueden los que están de bodas tener luto entre tanto que el esposo está con ellos? Pero vendrán días cuando el esposo les será quitado, y entonces ayunarán.
Ni echan vino nuevo en odres viejos; de otra manera los odres se rompen, y el vino se derrama, y los odres se pierden; pero echan el vino nuevo en odres nuevos, y lo uno y lo otro se conservan juntamente. *Mateo 9:14-15, 17*

Los odres son vasos hechos de piel de animal, que protegen y permiten cargar una cantidad limitada de vino nuevo. El cuero se considera viejo cuando ha sido usado previamente y luego se deja de usar y se empieza a secar y a endurecer; condición que le quita la elasticidad. El odre necesita estar flexible para ser llenado por vino nuevo, ya que al empezar la fermentación, ésta produce una serie de gases que lo dilatan. Si el odre está viejo y reseco se partirá quedando inutilizado y perdiéndose el vino.

Creo que el ayuno es un proceso sobrenatural que lubrica la piel desde el interior, para así, recibir el vino nuevo de Jesús. La aseveración que hace Jesús en este versículo de Mateo, denota su lucha en contra de la religiosidad y lo poco que los que la practican, entienden el ayuno.

La unión del Espíritu Santo y Jesús transforman nuestro corazón en el altar y la casa de Dios. De esta manera nuestra piel exterior se convierte en la tienda de Su morada, tal como lo fue en el Antiguo Testamento.

El ayuno guarda ese tabernáculo físico, mientras el vino nuevo alimenta el alma y el espíritu con revelaciones frescas cada día. Ayunar no es un método religioso para obtener la aprobación de Dios, sino un arma para desmantelar nuestra propia naturaleza. Es el alma del hombre la que tiene la mayor necesidad de ser reconstruida para que se pueda expandir.

El odre viejo es un contenedor incapaz de cambiar o manifestar la revelación del cielo. Cristo es, tanto el reino de

Dios, como el vino nuevo y quien sostiene nuestro crecimiento, proveyendo eternamente revelaciones que nos hagan permanecer en Él. La Palabra explica las diferentes formas en que se ofrecían sacrificios en el altar de Dios. Una de estas es la libación, que consistía en el derramamiento de vino, y era un sacrificio al que se agregaba *"ofrendas de carne y cereal"*. El Antiguo Testamento es sombra y tipo de Jesús, cuya vida fue el perfecto sacrificio derramado por toda la humanidad.

En Juan 15 se describe a Jesús como la *"vid"* verdadera. Creo que el fruto de esa vid produce el vino nuevo del cual Él habla en Lucas 22. De acuerdo a esta palabra, si queremos ser fructíferos, debemos morar EN ÉL. Por lo tanto, si deseas recibir Su revelación fresca, debes conectarte con Jesús y dejarte podar por Dios. ¿Te has dado cuenta de que, después de podar un árbol, encuentras los mejores frutos?

Uno de los propósitos del fruto es reproducirse y proveer salud y sanidad a quienes lo consumen. Nuestro Padre trabaja su viña para producir una gran cosecha y un extraordinario vino. El mejor futuro que podemos tener como Su fruto, es el hecho de ser escogidos y consumidos por el Maestro. Pablo reconoció la relación que existe entre la libación y el ser elegido como fruto de Dios.

Y aunque sea derramado en libación sobre el sacrificio y servicio de vuestra fe, me gozo y regocijo con todos vosotros.

Filipenses 2:17

Ninguno que milita se enreda en los negocios de la vida, a fin de agradar a aquel que lo tomó por soldado. *Timoteo 2:4*

Creo que es importante entender que el ayuno, en el Antiguo Testamento, era considerado como una aflicción del alma en el Día de Expiación. Las siguientes escrituras describen las ordenanzas de Dios para los Israelitas.

No contaminarás a tu hija haciéndola fornicar, para que no se prostituya la tierra y se llene de maldad.
Mis días de reposo guardaréis, y mi santuario tendréis en reverencia. Yo Jehová.
No os volváis a los encantadores ni a los adivinos; no los consultéis, contaminándoos con ellos. Yo Jehová vuestro Dios.
Levíticos 19:29-31

También habló Jehová a Moisés, diciendo:
A los diez días de este mes séptimo será el día de expiación; tendréis santa convocación, y afligiréis vuestras almas, y ofreceréis ofrenda encendida a Jehová.
Ningún trabajo haréis en este día; porque es día de expiación, para reconciliaros delante de Jehová vuestro Dios.
Porque toda persona que no se afligiere en este mismo día, será cortada de su pueblo.
Y cualquiera persona que hiciere trabajo alguno en este día, yo destruiré a la tal persona de entre su pueblo.
Ningún trabajo haréis; estatuto perpetuo es por vuestras generaciones en dondequiera que habitéis.
Día de reposo será a vosotros, y afligiréis vuestras

almas, comenzando a los nueve días del mes en la tarde; de tarde a tarde guardaréis vuestro reposo.

Levíticos 23:26-32

La religión siempre representará el viejo odre, ya que es incapaz de expandir la eterna revelación de Cristo. En Mateo, Jesús nos explica el propósito detrás de la Ley Mosaica:

Y si supieseis qué significa: Misericordia quiero, y no sacrificio, no condenaríais a los inocentes... *Mateo 12:7*

Por una parte, vemos aquellos que dejaron que sus odres se envejeciesen con el orgullo y la auto-justificación, lo que los lleva a juzgar continuamente al prójimo; y por otra, el sacrificio de Jesús quien fue y es la misericordia de Dios manifestada.

En otras palabras, Israel fue el odre viejo que Dios usó para llevar la promesa del vino nuevo, pero si hubiesen entendido la misericordia de Dios, hubiesen recibido el vino nuevo que Jesús les ofreció.

Observemos lo que hizo Jacob en Génesis, cuando se reunió con Dios. Esto nos ayudará a entender que Jesús mismo era el vino y el aceite del Espíritu Santo.

Y Jacob erigió una señal en el lugar donde había hablado con él, una señal de piedra, y derramó sobre ella libación, y echó sobre ella aceite. Y llamó Jacob el nombre de aquel lugar donde Dios había hablado con él, Betel. *Génesis 35:14-15*

Es importante mencionar que, la mayoría de los milagros de Jesús, fueron hechos en el Sabbat (Sábado). Esto es muy significativo, ya que esencialmente Él estaba demostrando que él mismo era el cumplimiento de la Ley. Jesús mismo es el Sabbat y el séptimo día del que habla el capítulo 2 de Génesis y Él es el cumplimiento físico de todo lo predicho por los profetas a través de las escrituras.

El problema de la religión es que está tan enfocada en la forma que deja de ver la substancia. En otras palabras, los líderes de los tiempos de Jesús estaban tan preocupados por Su lugar de nacimiento y sus propias doctrinas, que no vieron Su autoridad sobre el pecado, la enfermedad y la muerte. Tristemente, lo mismo ocurre hoy en día donde quiera que hay religión.

1. El Ayuno, el Instrumento para aceitar Odres

El ayuno es una gran lucha si no se tiene la revelación del mundo invisible, pero el Espíritu quiere liberarte y ayudarte en cada paso del camino.

Nuestra alma está acostumbrada a darnos órdenes, por lo tanto, debemos renunciar a seguirla, y dejarle esa tarea al Espíritu Santo. Será mucho más fácil para nosotros discernir la diferencia entre el mundo espiritual y el físico, una vez que nuestro espíritu haya despertado.

El Ayuno es la herramienta designada por Dios, para realizar el trabajo completo. Debemos comprender que el alma y la mente se resistirán a cambiar, y este es el gran desafío para nosotros.

Aquellos que ayunan, enfrentarán decisiones difíciles que requieren de perseverancia para superar la prueba. Pero no te desalientes, una vez que inviertas tiempo en oración y adoración, tendrás éxito. El poder que libera el ayuno nos separará de los apetitos de este mundo, para introducirnos en la realidad de la fe.

El ayuno es capaz de transformar el alma y llevarla del orgullo a la humildad, pero, en este proceso, debes tener en cuenta que la batalla será feroz y complicada, sobre todo cuando te dispongas a comenzar. La mente es como una amiga del alma que busca auto protección, por lo que se opondrá firmemente a través de señales de peligro en todo tu organismo.

Inicialmente, las voces del cuerpo serán más fuertes que las del espíritu y, aquellos que tienen poco entendimiento o pocos deseos de cambiar, raramente experimentarán las victorias sobre sus deseos carnales. Sin embargo, te aseguro que puedes contar con el Fiel Espíritu Santo, quien te llevará al triunfo inminente.

Lo que te pasará posteriormente, tiene que ver con la mente, que enviará diversas imágenes de angustia que se manifestarán como dolor e incomodidad, con la esperanza de que tu organismo retome sus hábitos alimenticios. Estas son señales de que la batalla ha comenzado y que la victoria está asegurada, siempre y cuando, te mantengas firme en el camino.

Tus mayores miedos son reales mientras

estés unido a ellos. Las revelaciones de Cristo que experimentarás, serán el combustible que te separará de las influencias y ataduras a este mundo.

El diablo odia a aquellos que están dispuestos a sacrificar sus cuerpos en un altar y que se comprometen a confiar en Dios para ser libres. Existen ángeles especiales asignados para ti, si estás determinado y dispuesto a someterte al Padre.

He experimentado de primera mano estas cosas y sé de lo que te estoy hablando, pero no sólo tomes lo que digo, sino descubre esta verdad por ti mismo.

SECCIÓN VI

EL CUERPO

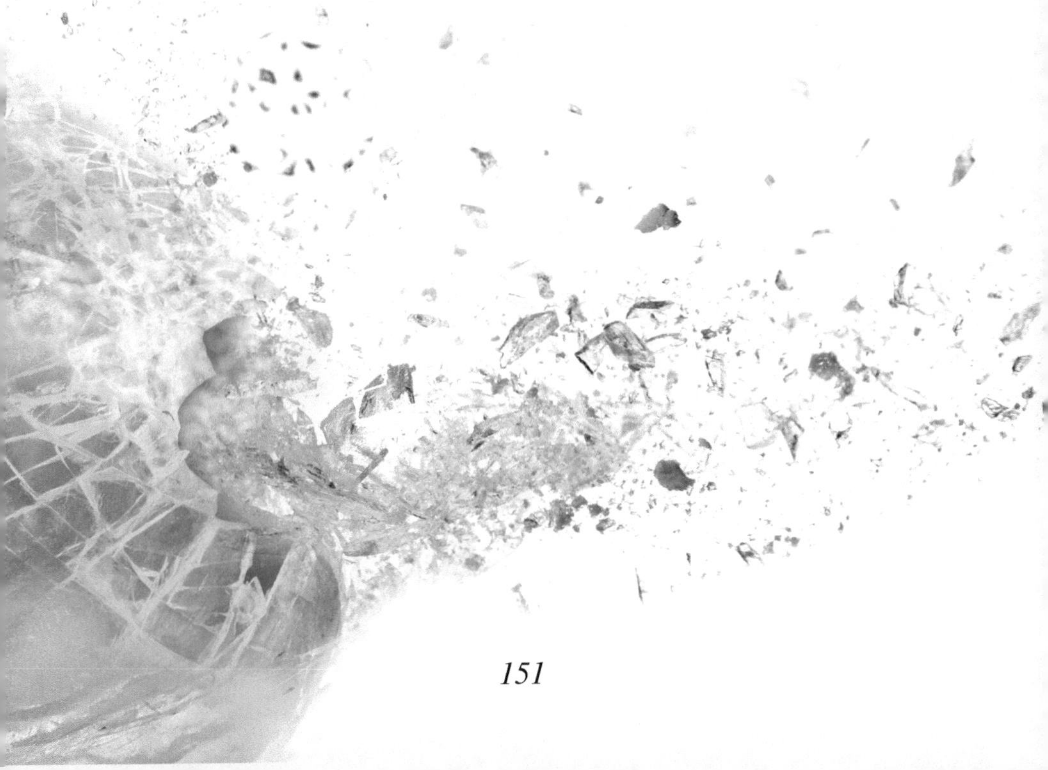

EL CUERPO

Preguntado por los fariseos, cuándo había de venir el reino de Dios, les respondió y dijo: El reino de Dios no vendrá visiblemente, Ni dirán: Helo aquí, o helo allí; porque he aquí el reino de Dios está entre vosotros.

Lucas 17:20-21
(Traducción de la Biblia King James)

El Reino de Dios no se encuentra en una ciudad o en un edificio de iglesia. De acuerdo a Jesús, éste reside en el corazón de los que están EN CRISTO. Para entender este principio, es necesario que limpiemos nuestro cuerpo físico desde su interior, para que Cristo habite en nosotros. Esto se logra, precisamente, a través del ayuno. No hay atajos y no importa cuánto sabemos de las escrituras o cuánto las repetimos. Será difícil para aquellos que no ayunan el mantener una morada para Su presencia.

Muchos cristianos sienten la presencia o la *"unción"* del Espíritu Santo en ciertas ocasiones, pero aquellos que practican el ayuno como un estilo de vida, disfrutarán permanentemente de Su habitación en sus espíritus.

Ahora bien, para que todo esto ocurra, el cuerpo y el alma deben reconectarse al Espíritu de Dios, sólo de esta manera vivirás en un verdadero orden interior y experimentarás la realidad del Reino de Dios. La plenitud y verdadera prosperidad comienzan en el instante en que nacemos *"en"* Cristo.

Amado, yo deseo que tú seas prosperado en todas las cosas, y que tengas salud, así como prospera tu alma.

3 Juan 1:2

Amado hermano, le pido a Dios que te encuentres muy bien, y también le pido que te vaya bien en todo lo que hagas, y que tengas buena salud.

3 Juan 1:2
(Traducción en lenguaje actual)

Nuestro cuerpo es el templo de Dios. Cada uno de nosotros es responsable de cuidar de él, para llevar una vida saludable, tanto física, como espiritualmente, mientras cumplimos nuestro destino en la tierra. Anteriormente, explicamos el papel del Espíritu Santo como un guardián de la sangre de Dios, y comprendimos que, de las tres personas de la Divina Trinidad, es Él quien ha sido designado para darnos el poder y la sabiduría del Padre.

La llenura del Espíritu es el poder sobrenatural, diseñado para cambiarnos de una vida de consumismo, en una vida de generosidad. El primer ser humano decidió, precisamente esto, tomar en vez de dar. Dios pidió una sola cosa, en el Jardín del

Edén, la cual el hombre rechazó y eligió comer del árbol prohibido. La Biblia dice que Él nos amó tanto, que *"dio"* a Su Hijo. Los que han decidido entrar en el Reino de Dios, deben rendirle a Él sus vidas, lo que implica, necesariamente, un cambio de prioridades. En vez de gastar en nosotros mismos, debemos dar. Si entendemos este principio, ayunar se convertirá en una forma de vida.

En la sociedad actual, el cuerpo es el centro de atención ya que es la fuente de gratificación física. Pero Jesús definió la prioridad entre la dimensión espiritual y la natural. Veamos esta escritura:

»No vivan pensando en qué van a comer, qué van a beber o qué ropa se van a poner. La vida no consiste solamente en comer, ni Dios creó el cuerpo sólo para que lo vistan.

Mateo 6:25

Jesús hace una diferencia radical entre la vida física y la espiritual, y nos dice que nuestros pensamientos determinan el valor qué le damos al mundo material, y al espiritual.

el fin de los cuales será perdición, cuyo dios es el vientre, y cuya gloria es su vergüenza; que sólo piensan en lo terrenal.

Filipenses 3:19

En éste versículo, vemos cómo la sociedad hace de sus apetitos, sus dioses por lo que siguen insatisfechos y siempre en la búsqueda de algo más. Esto es una verdadera receta para llenarse de problemas físicos, mentales y espirituales los cuales se transfieren generación tras generación. Los reinos de este mundo, incluyendo la religión, nunca ofrecerán soluciones para los problemas cuyo origen es espiritual.

Dios ya proveyó el sacrificio perfecto para que vivamos en salud divina. Debes saber que, si tienes sobrepeso o eres esclavo de tus apetitos alimenticios, es porque estás siendo engañado, pero en ningún caso, olvidado o no amado por el Señor.

El ayuno es la herramienta diseñada por el Padre para liberarte de las ataduras de este mundo, incluyendo la comida. Recordemos que el diseño original para nuestro cuerpo fue que viviéramos miles de años libres enfermedad.

Amado, yo deseo que tú seas prosperado en todas las cosas, y que tengas salud, así como prospera tu alma.

3 Juan 1:2

EL AYUNO ES MEDICINA

El ayuno es el tratamiento de desintoxicación natural de Dios, para aquellos que tienen problemas de salud y es mucho mejor que destruirse el organismo con los efectos secundarios de la medicina moderna. Diferentes estudios de salud reportan buenos resultados sobre el ayuno como un método preventivo que mejora la salud en general, además de dar vitalidad y crear resistencia a la enfermedad.

"Cuando se hace adecuadamente, el ayuno puede ser una poderosa herramienta que ayuda a tu cuerpo a sanarse por sí mismo. Éste es la respuesta a una cantidad asombrosa de preguntas".[1]

"El ayuno es el mejor método que podemos usar para sanar nuestro cuerpo, incluyendo órganos y células"[2]. De hecho, el Dr. Benjamin Horne, cree que ayunar podría ser, en un futuro no muy lejano, un tratamiento para prevenir la diabetes y las enfermedades coronarias.

A esto, debemos agregar que el ayuno está reconocido por la ciencia como una manera de purificar y limpiar nuestro organismo. El aparato digestivo requiere de la ayuda del sistema inmunológico ya que es la parte de nuestro cuerpo que está más expuesta a bacterias, virus, parásitos y toxinas.

Después que la comida viaja a través de los intestinos, entra a la sangre por el hígado, que es el mayor sistema natural de desintoxicación del organismo. El hígado disuelve y remueve los desperdicios tóxicos producidos por la digestión, incluyendo los contaminantes químicos y orgánicos presentes en la comida. El ayuno permite que el hígado y el sistema inmunológico liberen sangre saludable al cuerpo para re-energizar y vitalizar todos los órganos.

Uno de los aspectos fisiológicos más importantes del ayuno, es que hace que la energía interna, inicialmente usada para digerir el alimento, sea aprovechada para limpiar y sanar nuestro organismo. El principio detrás de esto es muy simple, cuando el consumo interno de comida es detenido temporalmente, muchos de nuestros sistemas toman un receso en el complejo proceso de la digestión. La energía extra, permite que nuestro organismo se sane y se restaure por sí mismo.

Esto, a su vez, posibilita que se quemen calorías almacenadas como combustible, eliminando sustancias tóxicas guardadas en nuestros órganos. Durante la ausencia de comida, sistemáticamente el cuerpo se limpia a sí mismo de todo, excepto del tejido vital.

Debes saber que, durante el ayuno, experimentarás muchos cambios fisiológicos. Por ejemplo, en el primer día, tu cuerpo usa las reservas de glucógeno o azúcares que suplen la energía básica del organismo. Después de que estos se agotan, el cuerpo comienza a utilizar la grasa almacenada.

Así como cualquier parte del cuerpo, nuestro cerebro también requiere de azúcares o glucosa para funcionar efectivamente. De hecho, el Dr. Norberto Coimbra, demostró en un estudio, que el cerebro humano necesita dos veces más energía o glucosa que cualquier otra célula del organismo.

En su investigación se descubrió que la concentración mental absorbe glucosa de una parte clave del cerebro asociada con la memoria y el aprendizaje, subrayando lo determinante que resulta el azúcar en la sangre para el adecuado funcionamiento cerebral.[3] Durante el segundo día de ayuno, el cuerpo comienza a consumir tejido muscular para obtener las cantidades necesarias de glucosa para su funcionamiento. Si bien es cierto, que consumimos proteínas durante un ayuno, el ser humano puede abstenerse de comida por cuarenta días tomando solo agua, sin sufrir insuficiencia de proteínas, vitaminas, minerales o ácidos grasos.

Para alimentar el cerebro, el cuerpo debe quemar una libra de músculo (aproximadamente medio kilo) al día. Sin embargo, nuestro organismo ha desarrollado otras maneras de obtener energía, para resguardar así la importante masa muscular. Este proceso de ahorro de proteínas se denomina *"cetosis"*, y ocurre en el tercer día de ayuno, en el caso del hombre, y en el segundo día, en el caso de la mujer. El hígado convierte la grasa acumulada y el tejido no esencial en aminoácidos denominados *"cetonas"*, las cuales son usadas como energía, tanto por el cerebro, como por los músculos y el corazón.

De acuerdo al profesor de fisiología de la Universidad de Chicago, A. J. Carlson, un hombre saludable y bien alimentado puede vivir entre 50 a 75 días sin comida, siempre y cuando no sea expuesto a climas extremos o a estrés emocional.

Las células sanas permanecen perfectamente saludables, a pesar de reducirse en tamaño y en fuerza por un tiempo limitado.[4] Es importante que sepas que los beneficios del ayuno son más importantes que la pérdida de peso o la sanidad de enfermedades crónicas. El ayuno libera poder que transciende el mundo físico, no obstante, sin la presencia del Espíritu Santo, ayunar se convierte sólo en una herramienta de auto-ayuda para quienes quieran verse bien o perder peso.

El cuerpo físico, es una magnífica máquina diseñada para transformar la materia en energía y descubrir así, las maravillas de su creador. Por ejemplo, si te comes una manzana, el estómago comenzará un proceso de digestión hasta que la materia (alimento consumido) se convierta en componentes químicos y pequeños ácidos capaces de ingresar en la corriente sanguínea. Es esta transición de materia a energía, la que provee las necesidades físicas y psicológicas del hombre.

El alimento físico es químicamente alterado a través de la digestión para suplir las necesidades, tanto del cuerpo, como del alma. El intercambio de energía en que la comida pasa a formar parte de la sangre, es el primer paso para entender los misteriosos diseños de Dios. Las investigaciones indican que los glóbulos blancos- las defensas del cuerpo- se incrementan durante ayunos prolongados, produciendo un ambiente saludable o idóneo para la reproducción celular.[5] Además de esto, la sangre actúa como un antibiótico espiritual del cuerpo. Por lo tanto, si no está trabajando continuamente en los procesos digestivos, la sangre utilizará sus propiedades curativas en los órganos enfermos.

En el libro de Levítico, Dios le muestra a Moisés la importancia de la sangre.

Porque la vida de la carne en la sangre está, y yo os la he dado para hacer expiación sobre el altar por vuestras almas; y la misma sangre hará expiación de la persona.

Levítico 17:11

Creo que el Espíritu Santo fue asignado para traer de vuelta las almas a Dios, a través de Cristo, usando, como Su conducto, las propiedades espirituales inherentes en la Sangre.

¿Por qué digo esto? Como hemos aprendido, la sangre fue diseñada por Dios para suplir tanto vida física como nuestro ADN espiritual. El enemigo conoce el poder de la sangre porque fue derrotado por ella.

Creo que Dios requirió que los Israelitas comieran ciertos alimentos y otros no, para proteger su sangre, y otorgarles una apropiada nutrición.

La ciencia gasta millones de dólares en drogas para prevenir la expansión de enfermedades pero, rara vez, se invierte en educar al mundo en cómo ayunar. Este es el tiempo en que el Cuerpo de Cristo necesita levantarse y liderar al mundo en vez de seguir su corriente.

Notas

[1]Alan Goldhamer, D.C. and Jennifer Marano, D.C. "Fasting Is the Answer. What is the Question?" Health Science, 2011.

[2] Intermountain Medical Center. "Routine periodic fasting is good for your health, and your heart, study suggests." Science Daily, 3 Abril. 2011. Web. 24 Nov. 2011.

[3] Dr. Norberto Cysne Coimbra, Ph.D. "Thermoeffector neuronal pathways in fever: a study in rats showing a new role of the locus coeruleus", Faculty of Medicine of Riberirao Preto, 1998. http://www.fi.edu/learn/brain/carbs.html

[4] Ron Laqerquist, "Fasting Vs. Starvation", http://www.freedomyou.com/fasting_book/Fasting%20_vs_starvation.htm

[5] T.C. Fry's Life Science Health System, http://www.rawfoodexplained.com/introduction-to-fasting/what-the-body-does-when-you-fast.html

16

EL AYUNO Y LA FISIOLOGÍA

El capitalismo, especialmente en Estados Unidos, produce consumidores insaciables cuyos deseos se han convertido en sus propios dioses. Esta gente que gasta su dinero y recursos en bienes materiales, son quienes determinan la prosperidad del mundo. Mientras más consumen, mayor es la demanda por expandirse, tanto física como mentalmente.

Uno de los efectos secundarios del capitalismo es la industria de la comida rápida, también conocida como *"comida chatarra"*. Para aquellos que no lo saben, este mercado está compuesto por restaurantes que preparan comida en muy poco tiempo, para satisfacer el hambre, pero carente de nutrientes. Los menús, en estos lugares, consisten principalmente de carnes procesadas y alimentos fritos, los que están relacionados con diferentes tipos de enfermedades.

Esto no es un asunto menor, ya que el factor nutricional es clave para el correcto funcionamiento cerebral. Una nutrición inadecuada puede producir depresión, ansiedad, déficit atencional, hiperactividad, esquizofrenia, autismo, bulimia, anorexia y bipolaridad, por nombrar algunos ejemplos. Una mala dieta y hábitos alimenticios incorrectos, combinado con el amor al dinero, son la causa de muchas enfermedades.

1.- Lo que comemos afecta nuestra forma de pensar

El origen de nuestros pensamientos es tan misterioso como la creación del universo y las galaxias. Sin embargo, la ciencia ha descubierto la relación entre la comida que consumimos y nuestra actividad mental. Como dije anteriormente, para mantener el auto-control, el poder y la habilidad para pensar claramente, el cerebro necesita de nutrientes. En este sentido, el deseo por los alimentos incorrectos, es producto de una mente alterada químicamente por malos hábitos alimenticios.[6]

Muchos científicos creen que la *"comida rápida"*, o *"chatarra"*, no es sólo poco saludable, sino también adictiva. Existen evidencias que demuestran que el consumo de este tipo de alimentos genera más deseos de las mismas calorías *"vacías"*. Una gran cantidad de personas se quejan de no poder dejar de desear comida "chatarra", aunque reconocen que los está matando.[7]

Diversas investigaciones revelan los efectos de este tipo de comida en el cerebro los cuales afectan la producción de hormonas como la leptina y la galanina. Se ha comprobado que la galanina disminuye, mientras la leptina aumenta, lo cual crea una disfunción llamada *"obesidad del hipotálamo"*. Es por ello que las personas con sobrepeso no pueden dejar de comer, su cerebro les indica que no han comido suficiente.[8] El Doctor Linus Pauling, ganador de dos premios Nobel, dijo: "Diferentes líderes del área, reconocen que el comportamiento está determinado por el funcionamiento del cerebro y que éste depende de su composición y estructura".[9]

El cerebro produce químicos llamados *"neurotransmisores"*, los cuales regulan nuestros estados de ánimo, emociones y la manera en que experimentamos dolor. Los nutrientes, que consumimos en los alimentos, liberan ciertos aminoácidos que, a su vez, incrementan o disminuyen la producción de químicos como dopamina, epinefrina y serotonina. Personas que tienen síntomas de fatiga, problemas de peso y poca capacidad para concentrarse, carecen de la cantidad suficiente de estos aminoácidos. Esto no es menor, ya que la incapacidad para concentrarse y enfocarse, son uno de los principales obstáculos en la educación y para escuchar al Espíritu de Dios.

Tristemente, aquellos que muestran estos síntomas o se sienten enfermos, visitan frecuentemente al médico, quien les prescribe drogas farmacéuticas para tratar los síntomas. Si bien, la droga puede anestesiar los síntomas, con el tiempo, hará vulnerables otros órganos, deteriorando la resistencia natural del cuerpo frente a enfermedades.

2. El pecado, fuente de enfermedad

Otra razón mayor del por qué la gente, incluyendo cristianos, sufre de problemas de salud, es el pecado. Conozco muchos cristianos cuyos hábitos alimenticios fueron desafiados por el Espíritu Santo, pero se rehusaron a obedecer, y cayeron enfermos. Toda desobediencia es pecado y, en el caso de la comida, se caracteriza por la combinación de glotonería y el consumo de *"comida chatarra"*. La palabra glotonería significa, gula y/o exceso de comida, siendo una de las raíces que causa enfermedad, tanto física como espiritualmente.

Mirad también por vosotros mismos, que vuestros corazones no se carguen de glotonería y embriaguez y de los afanes de esta vida, y venga de repente sobre vosotros aquel día.

Lucas 21:34

Los elementos químicos que componen el cuerpo, son los mismos que necesitamos proveerle, para mantenerlo funcionando eficazmente. De ahí, que al consumir alimentos procesados, le estamos dando sustancias que lo destruyen.

Por ejemplo, si pones diesel a un automóvil que usa gasolina, el motor no va a funcionar correctamente. De la misma manera, si consumes gaseosas y comida preparada con componentes químicos, de seguro, tu organismo fallará.

Por otra parte, el ayuno nos ayuda a reducir o sanar cualquier condición crónica del organismo, incluyendo alergias, ansiedad, artritis, asma, depresión, diabetes, dolor de cabeza, enfermedades cardíacas, colesterol alto, bajos niveles de sangre, desordenes digestivos, enfermedades mentales y obesidad.[10]

La comida es usada para controlar las emociones, por lo que si no es saludable, inhibirá la producción de serotonina. Consumir azúcares o demasiados carbohidratos es una manera rápida de contrarrestar un desbalance químico en el organismo, pero a largo plazo, produce problemas de salud como diabetes o presión alta.

Personalmente, creo que aquellos que dependen de los médicos para resolver sus problemas de salud, no han entendido el poder de la cruz. En el libro *"Pharmakeia, El Asesino de la Salud"*, escrito por mi esposa Ana Méndez Ferrell, se describe con gran detalle, las atrocidades cometidas por la industria farmacéutica mundial, en conjunto con el sistema de salud.

De acuerdo a un estudio estadístico de muertes en hospitales de los Estados Unidos, realizada por la Universidad de Toronto, las drogas farmacológicas matan más gente al año que los accidentes de trafico.[11]

Este estudio mostró que más de dos millones de pacientes hospitalizados en los Estados Unidos, sufrieron serias reacciones adversas a los medicamentos durante los 12 meses que duró la investigación, falleciendo más de cien mil personas. Los investigadores descubrieron que, más del 75% de los pacientes, eran fármaco-dependientes, lo cual sugiere que la causa de muerte se debió a la toxicidad de los fármacos más que a las reacciones alérgicas a estos.

En este trabajo investigativo, no se incluyen datos de

muertes causadas por sobredosis o errores en el suministro de las drogas. Si hubiesen sido incorporados, estaríamos hablando de más de cien mil muertes más, adicionales al total anual.

Notas

[6] Jeff Thiboutot BS, CN, CPT. Food, Mind, And Mood: The Connection Between What People Eat and How They Feel and Act Posted: Agosto 14, 2008.

[7] Paul M Johnson & Paul J Kenny, "Dopamine D2 receptors in addiction-like reward dysfunction and compulsive eating in obese rats," Nature Neuroscienc.13, pp. 635–641 Febrero 2010.

[8] Leibowitz SF, Kim T (1992) Impact of a galanin antagonist on exogenous galanin and natural patterns of fat ingestion. Brain Res 599:148–152.

[9] David Perlmutter, MD, FACN and Carol Colman, "Raise a Smarter Child by Kindergarten" Broadway Books, 2006.

[10] Dr. Ben Kim, "Fasting For Health," A Spiritually Enlightening Online Magazine. Enero, Volumen 8 ISSN# 1708-3265.

[11] Ghislanine, Lanctot. "The Medical Mafia," Vesica Piscis, 2002, p. 258

EXPERIENCIAS PERSONALES CON EL AYUNO

La primera vez que escuché a alguien decir que estaba ayunando, honestamente, no tenía idea de qué estaba hablando. Una vez que me explicaron en qué consistía el ayuno, si bien lo consideré interesante y desafiante, no pensé que era algo para mí, simplemente me quedé perplejo.

En los días siguientes a esa conversación, el Espíritu Santo me recordó una y otra vez el asunto del ayuno y, por alguna razón, era el tema de discusión, a donde quiera que fuera.

En un principio, me resistí a estudiar las escrituras respecto a esa materia porque sabía que lo que encontraría, me llevaría a ayunar. Mi preocupación por esta palabra generó muchas noches sin dormir y un montón de preguntas. Algunos de mis cuestionamientos eran ¿qué es el ayuno?, ¿Es realmente importante?

Por una parte, la iglesia a la que asistía, rara vez hablaba de esto y, por lo que se veía, la gente no estaba muy dispuesta a dejar de comer. Por otra parte, quedé asombrado cuando descubrí que la obesidad, es el problema primordial de salud en los Estados Unidos. Peor fue cuando descubrí que los *"miembros de las congregaciones Cristianas"* tienden a tener más sobrepeso que la población en general.

Una investigación al respecto determinó que las Iglesias Bautistas del sur de Estados Unidos, encabezan las estadísticas de obesidad entre los grupos religiosos estudiados.[12]

Lo que hice entonces, fue prepararme durante varios días para comenzar con mi primer ayuno. Una de las cosas que entendí, era que debía disminuir la cantidad de carne y comidas fritas. En las siguientes tres jornadas, sólo comí vegetales cocidos y crudos. En el último día, antes de empezar, sólo ingerí frutas.

Mi primer ayuno completo consistió sólo de agua y duró tres días. Si bien no fue muy largo, te aseguro que algo cambió en mí. La transformación física fue mínima, pero estaba muy feliz de haber agradado al Señor. Debo confesar que mis primeros intentos por ayunar seriamente fueron rotundos fracasos. Tristemente, en todo lo que pensaba, era en comer. A todos aquellos que están pasando por lo mismo, les digo, necesitas perseverancia, pero el Espíritu Santo te ayudará con esto. No pasó mucho tiempo desde que mi obsesión por la comida disminuyó y la paz de Dios llenó mi mente y mi corazón.

Consecuentemente, aprendí a beber un vaso grande de agua

caliente y salada, mientras escuchaba música de adoración dentro de una bañera de agua bien caliente. Esto tenía varios propósitos, dentro de los cuales estaban la limpieza de mi vejiga e intestinos, y me ayudaba a estar relajado y enfocado en el Espíritu Santo. Más tarde descubrí que, después de tres o cuatro días, mi cuerpo dejaba de anhelar comida y que desde ese momento en adelante la batalla sería con mis pensamientos.

En los primeros ayunos sucumbía fácilmente a las tentaciones y tenía que comenzar de nuevo, después de lidiar con el remordimiento y la culpa. Pero, el Espíritu Santo, siempre estaba alentándome a levantarme e intentarlo otra vez, sin escuchar las voces de condenación del enemigo.

Esas experiencias sembraron una semilla en mi alma que produjo paciencia y perseverancia por las cosas del Espíritu. Esos pequeños pasos me ayudaron a convertirme en un vencedor.

Con vuestra paciencia ganaréis vuestras almas.

Lucas 21:19

El ayunar me ensenó, entre muchas cosas, que la comida es tan adictiva como las drogas. Así que me propusé ser conciente de cada vez que comía. Me preguntaba si la materia que estaba ingeriendo era para Su gloria o para mi satisfacción.

Después de pequeños ayunos, comencé con uno de los muchos de 40 días que he hecho. En un principio, esa cantidad me generaba mucha ansiedad, pero empecé a recordar las visitaciones celestiales, y eso hacía que la determinación regresara.

Mi trabajo me permitía realizar las tareas desde mi casa, por lo que cada día comenzaba con adoración y meditación y, cuando tenía que viajar en el auto, escuchaba enseñanzas o adoración. En muchas ocasiones llevaba a mis clientes a comer a restaurantes y aprovechaba la oportunidad para explicarles por qué ayunaba. Algunos de ellos se sorprendían de que alguien quisiera, voluntariamente, dejar de comer. Otros, parecían agradados con la idea. La mayoría estaban interesados en que yo lo hiciera, pero me decían que no era algo para ellos.

Mientras más ayunaba, la intensidad de las experiencias con el Espíritu Santo aumentaban. Una noche, la presencia del Señor fue tan fuerte, que caí en el piso y lloré incontrolablemente por horas. Si bien perdí toda noción del tiempo, mi mente y cuerpo sentían olas de éxtasis y temor simultáneamente. Posteriormente, supe que esa noche Dios estaba preparando Su habitación en mí.

El Espíritu Santo me preguntó cuánto quería de Él, y yo sabía que mi respuesta determinaría el nivel de muerte física y mental que se requeriría para completar Su obra, así que simplemente le dije: *"Lléname Señor"*. Casi de inmediato, sentí como una descarga eléctrica de 220 voltios; después, la sensación de olas eléctricas que recorrían mi cuerpo cambió a las de un tsunami, pero nunca fueron más fuertes de lo que podía soportar.

Luego, Él me dijo, que para conocer a Jesús y Su gloria, debía vivir hambriento espiritualmente. Aunque en ese momento no entendí lo que eso significaba, empecé a clamarle: *"Muéstrame tu camino Señor"*. Y fue entonces que sucedió. Mi clamor desesperado por más de Él, desarrolló un hambre que remplazó todos mis apetitos naturales. En otras palabras, si el Espíritu Santo te hace espiritualmente hambriento de Él, perderás todo deseo natural por las cosas de este mundo, incluyendo la comida.

Mi alma y mi cuerpo habían sido transformados de tal manera, que mis apetitos por las cosas de este mundo parecían insignificantes y poco atractivas. Mi deseo por una relación con Dios, hizo que me convirtiera en un hambriento por Él. Entonces entendí por qué Jesús se apartaba de los demás, pues de esta manera, se alimentaba de la presencia de Su Padre.

En mi segunda semana de ayuno, mis niveles de energía eran considerablemente más altos, al punto que mi cuerpo y mente experimentaron una sensibilidad y energía que me recordaron mi adolescencia. Recuerdo que esa mañana, salí al patio y me puse a saltar en el trampolín de mi hijo. Una semana antes, el sólo hecho de pensar en hacer algo así, me hubiese hecho vomitar.

Al día siguiente, pasé la tarde orando y al terminar sentí un fuego de Dios que me tocó de adentro hacia afuera. Cada sensación creaba más hambre en mi alma y un cada vez más profundo anhelo por Cristo. Mis dudas e incredulidad eran las únicas limitantes a las crecientes visitas y las experiencias, que el Señor me daba.

El fuego aumentaba y, a veces, los dolores físicos eran insoportables, pero algo increíble pasaba a través de mi hambre espiritual. Un escudo mental y físico, parecía envolverme, repeliendo toda incredulidad. El enemigo estaba usando imágenes mentales de errores y malas decisiones del pasado como una barrera entre el Espíritu Santo y yo.

Sin embargo, el hambre espiritual y mi deseo por más de Él, crearon dentro de mi espíritu un entendimiento sobre el perdón y la victoria. Esta experiencia duró toda la noche en la que el poder del amor inundó mi alma y borró toda incredulidad, marcándome por el resto de mi vida. Creo que Jesús me bautizó con su fuego en esos encuentros.

La semana siguiente, sentí la presencia de ángeles en mi habitación. Recuerdo haber estado bebiendo de ese líquido que vi años atrás. Un ángel estaba sosteniendo un contenedor con algo, cuya única manera de describirlo es como una *"luz líquida"*. El ángel me dijo que sólo podría probarlo si ayunaba por 40 días.

Recuerdo cómo temblaba mientras las olas de Su gloria me llenaban desde dentro hacia fuera, no podía determinar si estaba en mi cuerpo o no. Parecía que el tiempo se había detenido y que el techo de la habitación se había abierto a una luz llena de caras y nubes. En ese momento, mi comprensión del mundo invisible y de la eternidad, cambió para siempre.

Cada día, el Espíritu Santo me visitaba con un incompresible amor y ánimo. Una noche, me mostró la naturaleza de la creación y su origen desde la mente de Dios. Presencié la estructura de la fe y el porqué es la única sustancia que agrada a Dios. Comprendía en mi espíritu todo lo que me mostraba, mientras en mi mente sonaba a un lenguaje extranjero.

Mi hambre espiritual crecía y crecía, mientras mis apetitos naturales disminuían y ya no podían controlar mi cuerpo. Mi espíritu estaba ganando dominio sobre mi alma y cuerpo.Al día siguiente comencé mi última semana en el ayuno de 40 días.

Aquella mañana recuerdo cómo sentí que mi vida ya no me pertenecía, de alguna manera todas estas experiencias me habían llevado a un nuevo nivel de ser hijo ante mi Padre. La libertad que experimenté no puede ser descrita con palabras. Fue en ese momento que entendí, lo que dice Juan:

Así que, si el Hijo os libertare, seréis verdaderamente libres.
Juan 8:36

El Espíritu Santo me dijo que leyera la Biblia de principio a fin y, sin lugar a dudas, éste ha sido el viaje más asombroso de mi vida. Desde el Génesis hasta el Apocalipsis, los versículos y las experiencias descritas ahí, se hicieron vivas para mí, abriendo una puerta a la mente del Él.

Su poder de Sus palabras alimentó mi espíritu y cambió mi mente. El Espíritu Santo me estaba transformando a través de "*La Palabra Viviente*", permitiéndome experimentar las escrituras e introduciéndome a Cristo de una manera que nunca había vivido antes. Creo que nací de nuevo al reino de Dios durante esos cuarenta días.

El ayuno es un pequeño paso con relación a las asombrosas vivencias dentro de la eternidad que Dios tiene preparadas para aquellos que le amamos. Si perseveras, recibirás la recompensa, no quitando los ojos de Aquel que lo sacrificó todo por ti.

Notas

[12] Wendy Ashley, "Obesity in the Body of Christ," Southern Baptist Convention, Executive Committee, SBC LIFE (ISSN 1081-8189), Volumen 20, Número 1, © 2011.

EL AYUNO DA LUZ PROFETAS

Mi vida como profeta nació de la adoración y el ayuno. La adoración se volvió no sólo música, sino la armonía entre mi espíritu y el de Dios. Para entender Sus caminos, la resonancia de mi corazón debía cambiar a una frecuencia celestial.

El ayuno ha sido el vehículo que el Señor ha usado para hacerme un instrumento que Él pueda usar. Debo decirte que este proceso ha sido extraordinario, y ha resultado en una fuente eterna que fluye constantemente en mi espíritu.

Una vez, después de ayunar comida sólida por varias semanas, vinieron a mí sentimientos de gozo que invadieron mi alma como un viento rugiente. La risa brotaba dentro de mí, como desde una fuente, de pronto algo sorprendente sucedió en el interior de mi mente.

Mis pensamientos comenzaron a cambiar, de imágenes

mentales con forma y tamaño a olas de color. Inmediatamente después, estas olas se convirtieron en objetos físicos como sillas, mesas, incluso personas. En ese momento, no entendí que estaba pasando, pero, a pesar de todo, me mantuve en calma.

Esa misma noche, mientras adoraba, la habitación se llenó como con nubes. Habían muchas, y todas parecían tener sus propias características. El sonido de mi adoración cambió las formas y los tamaños de esas nubes. En un momento, vi cómo se unieron y formaron una escalera desde la que se veían ángeles e hijos de Dios, moviéndose entre dos dimensiones. En ese instante, se me vino a la cabeza lo que Jesús le dijo a Natanael.

Le dijo Natanael: ¿De dónde me conoces? Respondió Jesús y le dijo: Antes que Felipe te llamara, cuando estabas debajo de la higuera, te vi.
Respondió Natanael y le dijo: Rabí, tú eres el Hijo de Dios; tú eres el Rey de Israel.
Respondió Jesús y le dijo: ¿Porque te dije: Te vi debajo de la higuera, crees? Cosas mayores que estas verás.
Y le dijo: De cierto, de cierto os digo: De aquí adelante veréis el cielo abierto, y a los ángeles de Dios que suben y descienden sobre el Hijo del Hombre. *Juan 1:48-51*

Esta experiencia abrió mi entendimiento a la realidad profética y el Espíritu Santo me entrenó para confiar en Sus caminos, sin importar el método que Él use.

Un ejemplo de ello es que podría asociar un olor

específico con una persona o lugar y, en sólo horas o días, esa persona o lugar estaba delante de mis ojos en el mundo natural. Al principio, creía que era coincidencia, hasta que esto empezó a repetirse una y otra vez. No pasó mucho tiempo para que supiera qué iba a pasar antes de que ocurriera. La mayoría de la gente puede decir que esto se considera algo normal para un profeta, pero te aseguro que nada de lo que hace el Espíritu Santo es normal o común.

Después de ser bautizado por el Espíritu Santo, mi sensibilidad hacia el mundo invisible se incrementó notablemente. El Reino de Dios es eterno y no tiene tiempo, sólo lo limitan nuestras palabras. Esto muchas veces, es difícil de explicar a aquellos que no están familiarizados con el ayuno, como forma de vida.

Mi sed por experimentar al Señor de una manera más profunda, me llevó a ayunos prolongados y a orar más intensamente. Durante esta etapa de mi vida, mi entendimiento se expandió a través de experiencias en el mundo espiritual, como también con interacciones fuera del tiempo y del espacio.

Lo que aprendí con estas experiencias fue a ver la diferencia que separa las dos dimensiones. Ésta se percibía como una caída de agua de luz que formaba una cortina volátil y transparente. La luz se escuchaba como agua cayendo, pero entre más me acercaba a este velo, más silencioso se hacía, cambiando a su vez de color y de sonido según el punto de vista desde el cual lo mirara.

No había sombras ni oscuridad, lo que aludía a la ausencia de tiempo y movimiento. Cualquier intento por describir o racionalizar lo que estaba viviendo alteraba mi percepción y la memoria de éstas experiencias. En ese instante, escuché al Espíritu Santo que me decía que me quedara quieto y no pensara con mi mente, sino que entendiera con mi espíritu.

Después, comprendí que mi mente estaba interfiriendo con la dimensión espiritual de Dios, ya que Su ámbito no tiene tiempo. Por lo tanto, cualquier pensamiento proveniente del mundo temporal, contenía dudas o miedos, lo que impedía la conexión con Su realidad de gloria.

La experiencia me hizo entender muchísimas cosas, una de ellas es la velocidad del pensamiento. Era obvio que las imágenes de mi mente obstaculizaban la habilidad del Espíritu Santo para mostrarme las maravillas del mundo espiritual. Mis percepciones de la *"realidad"* eran construidas de ideas y figuras basadas en una comprensión restringida.

El Espíritu Santo me explicó que el mundo y todas las cosas materiales fueron una idea de Dios antes de que se convirtieran en una realidad tangible, pero que requieren de los elementos visibles, e invisibles para subsistir. Por ejemplo, la luz y el tiempo son dos factores indispensables para la continuidad de la vida física.

Otro ejemplo de esto es que la ciencia usa la luz, en su ecuación para determinar la relatividad de la materia. Hoy, se realizan investigaciones con la esperanza de descubrir el *"origen"* del universo, colisionando electrones a la velocidad de la luz. Según ellos, la anti-materia que surja de estos choques será la clave para entender la fuente de la energía, la cual ellos desconocen.

Dios hizo todo de Sus pensamientos, los cuales resonaron como una explosión creativa cuando exclamó: *"Sea la Luz"* (Génesis 1:3). Esa luz que Dios creó, es la luz de vida para toda la humanidad, la cual emanó de Jesús en el Monte de la Transfiguración. Esa luz no tiene nada que ver con la luz de este mundo.

Jesús es la expresión física de toda palabra hablada por Dios. El es la Palabra, la cual fue manifestada para destruir las tinieblas que mantenían al hombre separado de Él, y que son el pecado. Su Palabra es lo que sostiene ambas realidades, la visible y la invisible. En ese sentido, ha sido crucial para mí entender Su autoridad y poder sobre ambas. Tenemos que tener claro que al hombre se le dio la capacidad de entender ambas dimensiones, siempre y cuando reconozca a la *"Palabra Viviente"*, que es, Cristo.

Es obvio para mí que el mundo invisible es la sustancia de Dios y que el mundo material es la manifestación del Señor a través de Cristo.

Todas las cosas por él fueron hechas, y sin él nada de lo que ha sido hecho, fue hecho. *Juan 1:3*

Esta revelación cambió mi percepción del mundo e incrementó mi entendimiento de las estrategias que el enemigo usa por medio de los pensamientos. Lo más importante que he descubierto es que cuando ayuno por extensos periodos de tiempo, mis ideas y concepciones de la vida cambian dramáticamente.

Mientras más tiempo ayunaba, más rápido comencé a entender que la batalla real no estaba relacionada con la comida, sino con la sumisión de mis pensamientos. De hecho, muchas veces leí el versículo de 2 de Corintios, pero nunca lo entendí hasta que recibí esta revelación.

Ruego, pues, que cuando esté presente, no tenga que usar de aquella osadía con que estoy dispuesto a proceder resueltamente contra algunos que nos tienen como si anduviésemos según la carne.
Pues aunque ***andamos en la carne,*** *no militamos según la carne;*
Porque las armas de nuestra milicia no son carnales, sino poderosas en Dios para la destrucción de fortalezas,
Derribando argumentos y toda altivez que se levanta contra el conocimiento de Dios, ***y llevando cautivo todo pensamiento a la obediencia a Cristo,***
Y estando prontos para castigar toda desobediencia, ***cuando vuestra obediencia sea perfecta.*** *2 Corintios 10:3-6*

Después de ayunar prolongadamente, se hizo mucho más fácil seguir Sus instrucciones y rendirme a Su autoridad.

Cada uno de nuestros pensamientos exalta nuestros deseos por sobre la sumisión a Cristo, por eso, debemos someter toda idea a Él, de otra manera, éstos se convertirán en obstáculos que impiden recibir la justicia, la paz y el gozo del Espíritu Santo.

1. El profeta debe cuidar lo que come y lo que piensa

Escuchar a Dios, libre de todo obstáculo interior es primordial para ser un profeta genuino y acertado. Como vimos anteriormente, la comida, no es sólo proteínas o carbohidratos, sino que es materia física que influye en nuestros pensamientos. Esto se debe a que los nutrientes básicos, vibran en diferentes frecuencias, como lo indican algunos estudios. [13]

Los átomos de los cuales están hechos los alimentos, son frecuencias de energía que operan tanto en el mundo físico, como en el invisible. La velocidad o vibración de éstos, crea una atracción magnética que forma las estructuras moleculares.

Ahora bien, cómo se percibe esto en el microcosmos. Las partículas de la comida están cargadas de una energía vibrante que interactúa en forma significativa con la sangre y con las células. Esto hace, que la estructura molecular de nuestra mente y cuerpo se vea afectada por lo que ingerimos.

Hemos ya estudiado que los cuerpos parecen sólidos dado a la alta velocidad en que están vibrando los átomos que los componen. Los átomos de una materia y de otra vibran a una frecuencia diferente, dependiendo de su complejidad y densidad lo que hace que proyecten diversas texturas y complexiones.

Con esto quiero decir que nuestra realidad física está compuesta de materia del mundo invisible, pero no se puede ver con los ojos naturales debido a la velocidad en que se mueve.

La ciencia lo que hace, para medir las estructuras atómicas, es separarlas con sofisticados aparatos electrónicos. Estos instrumentos, revelan la frecuencia y vibración de átomos girando, lo que, finalmente, forma el mundo material. El ayuno, acelera la estructura atómica dentro de una persona cuando ésta decide reducir la cantidad de comida e incrementar el tiempo que pasa en oración.

Personalmente creo que satanás estaba muy interesado en el cuerpo físico de Moisés debido a la transformación que se produjo en éste tras experimentar la presencia sobrenatural de Dios.

Era Moisés de edad de ciento veinte años cuando murió; sus ojos nunca se oscurecieron, ni perdió su vigor.

Deuteronomio 34:7

Pero cuando el arcángel Miguel contendía con el diablo, disputando con él por el cuerpo de Moisés, no se atrevió a proferir juicio de maldición contra él, sino que dijo: El Señor te reprenda.

Judas 1:9

Hitler, por ejemplo, siempre estuvo muy interesado en encontrar la lanza que penetró el costado de Jesús. ¿Por qué? Obviamente los demonios dentro de él, sabían que la sangre de Cristo era eterna e inmortal. El infierno entero reconoce a quienes llevan Su ADN en sus espíritus.[14]

Mis experiencias en el mundo espiritual, a través del ayuno, han producido cambios fisiológicos en mi cuerpo, incluyendo el incremento de estamina y mi capacidad de concentración. Mientras escribo este libro, a mis 62 años, no estoy usando lentes y ya por muchos años no he tomando NINGÚN tipo de medicamento, ni siquiera una aspirina.

Si nuestros espíritus, permanecen en contacto con el Espíritu Santo, nuestro cuerpo cambiará dramáticamente.

El ayuno aumenta la presencia de Dios y genera cambios en el campo electromagnético del cuerpo. Como resultado, atraeremos las frecuencias y las revelaciones celestiales de Cristo y esta experiencia, provocará un hambre dentro de tú alma que la comida natural nunca podrá satisfacer.

Notas

[13] Jakob Böhme, "God's handiwork: The Doctrine of Signatures", Idaho Observe, Ingri Cassel, Julio 2008.

[14] Mark Harris 1996, "Further Reading: The Spear of Destiny," Trevor Ravenscroft, Publicado por Neville Spearman, Londrés, 1974.

CONCLUSIÓN

No es mi deseo u objetivo tratar de cambiar a aquellos que se oponen a mi revelación de la Verdad. La Verdad siempre prevalecerá, y si unos no la reciben otros ciertamente lo harán. Siempre habrá una generación que no sólo se levantará con la revelación que Dios me está dando, sino con una nueva y fresca.

El valor de un profeta se mide por la revelación de Cristo que lleva y transmite a las generaciones. Si su voz no es escuchada, no quiere decir que el profeta no ha hecho su trabajo. Jesús nunca trató de cambiar la mentalidad de los religiosos, simplemente, cumplió la ley de Su Padre a través de su revelación.

El Señor me ha dado todas estas experiencias por medio del ayuno para ver el mundo espiritual y, como ya he mencionado en todo este libro, esta dimensión es la fuente de toda realidad y está continuamente interactuando con el mundo físico.

Como Cristianos, deberíamos poder resolver los problemas de este mundo, ya que estamos conectados con Cristo. Tristemente ese no es el caso, por lo que creo que más y más gente se está desilusionando con el actual "status quo". Mi esperanza es que este libro te sirva para despertar y obtener las respuestas que la religión no ha podido entregarte. Mi camino recién ha comenzado y el tuyo lo hará, apenas elijas el ayuno como un estilo de vida. Nuestro mundo ofrece un sin número de oportunidades para experimentar grandes cosas en la realidad invisible. Te aseguro que el Espíritu Santo nunca se olvida de los que desean experimentar y descubrir su origen en Dios.

Si estás leyendo este libro, es porque el Espíritu Santo ha escuchado tus oraciones y Él conoce tus necesidades, de hecho, ya te ha provisto de las soluciones, pero la pregunta aquí es, ¿estás dispuesto a cambiar la manera en que piensas y sientes?

Mi respuesta personal a esa pregunta cambió mi vida y me permitió convertirme en un amigo personal del Espíritu Santo. Por eso te digo, el ayuno es uno de los muchos sacrificios radicales necesarios para que esa relación eterna prospere.

La autoridad y el poder de Jesús fueron desatados en Él, una vez que el Espíritu Santo lo llevó a un ayuno de 40 días, entonces, ¿por qué debería ser diferente para nosotros si decimos que anhelamos seguirlo?

Cuando comiences a ayunar, el Espíritu Santo, activará los cielos en tu nombre. Si anhelas, por ejemplo, interactuar con ángeles, el ayuno removerá todo velo y, así, ellos serán visibles para ti y participarán de tu vida.

El miedo evita que la mayoría de la gente haga los cambios necesarios en su vida, prefiriendo escuchar las voces que sólo traen recuerdos de errores pasados. Si te vas a acordar de algo de lo que hoy has leído, por favor acuérdate de esto:

La vida está llena de fracasos, pero una sola victoria, sin importar cuán pequeña sea, creará un nuevo mañana para tu vida hoy.

Haz que el ayuno sea el fundamento para el éxito y ya verás cómo el diablo huye. El mundo físico está formado del invisible, por lo tanto, si tu fuente de nutrición es espiritual, estás destinado a gobernar y regir sobre esta realidad material.

Si este libro te gustó, te recomendamos también

El Último Adán

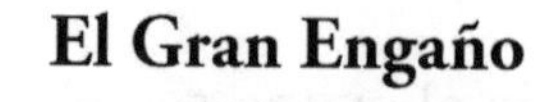

El Gran Engaño

El Soplo de Dios En Aceites Esenciales

Sumergidos En Él Los

www.vozdelaluz.com

Participa en nuestro cursos en vivo y en

On Demand

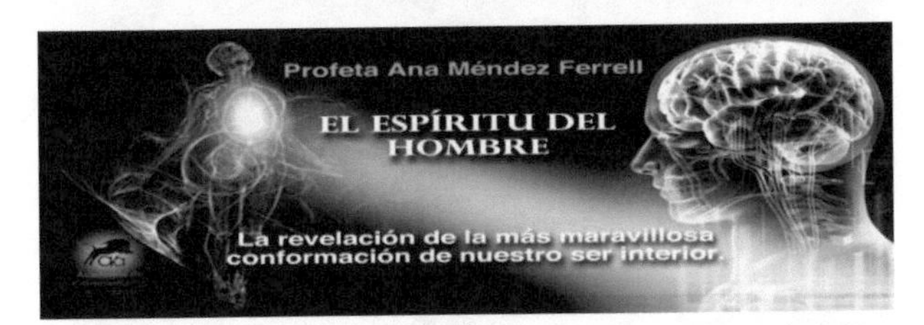

entrenamientoavanzado.votlm.com

Visitanos en Frecuencias de Gloria TV
Síguenos en Facebook en Twitter

www.frecuenciasdegloriatv.com

https://m.facebook.com/AnaMendezFerrellPaginaOficial/

https://twitter.com/AnaMendezF

Contactenos en:

Ministerio Voz De La Luz
P.O. Box 3418
Ponte Vedra, FL. 32004 USA
904-834-2447

www.vozdelaluz.com

Made in the USA
Columbia, SC
28 January 2024